大家小书

唐人绝句启蒙

李霁野 著

北京出版集团公司
北京出版社

图书在版编目（CIP）数据

唐人绝句启蒙 / 李霁野著 . — 北京 ：北京出版社，2016. 7

（大家小书）

ISBN 978-7-200-11977-0

Ⅰ. ①唐… Ⅱ. ①李… Ⅲ. ①唐诗—绝句—诗歌欣赏 Ⅳ. ①I207. 22

中国版本图书馆CIP数据核字（2016）第064883号

总策划：安 东 高立志　　责任编辑：陶宇辰 张 娟

· 大家小书 ·

唐人绝句启蒙

TANGREN JUEJU QIMENG

李霁野 著

*

北京出版集团公司
北京出版社　出版

（北京北三环中路6号 邮政编码：100120）

网 址：www.bph.com.cn

北京出版集团公司总发行

新华书店经销

北京华联印刷有限公司印刷

*

880毫米×1230毫米 32开本 13.625印张 220千字

2016年7月第1版 2023年6月第5次印刷

ISBN 978-7-200-11977-0

定价：39.80元

质量监督电话：010-58572393

序　言

袁行霈

“大家小书”，是一个很俏皮的名称。此所谓“大家”，包括两方面的含义：一、书的作者是大家；二、书是写给大家看的，是大家的读物。所谓“小书”者，只是就其篇幅而言，篇幅显得小一些罢了。若论学术性则不但不轻，有些倒是相当重。其实，篇幅大小也是相对的，一部书十万字，在今天的印刷条件下，似乎算小书，若在老子、孔子的时代，又何尝就小呢？

编辑这套丛书，有一个用意就是节省读者的时间，让读者在较短的时间内获得较多的知识。在信息爆炸的时代，人们要学的东西太多了。补习，遂成为经常的需要。如果不善于补习，东抓一把，西抓一把，今天补这，明天补那，效果未必很好。如果把读书当成吃补药，还会失去读书时应有的那份从容和快乐。这套丛书每本的篇幅都小，读者即使细细地阅读慢慢地体味，也花不了多少时间，可以充分享受读书的乐趣。如果把它们当成补药来吃也行，剂量小，吃起来方便，消化起来也容易。

我们还有一个用意，就是想做一点文化积累的工作。把那些经过时间考验的、读者认同的著作，搜集到一起印刷出版，使之不至于泯没。有些书曾经畅销一时，但现在已经不容易得到；有些书当时或许没有引起很多人注意，但时间证明它们价值不菲。这两类书都需要挖掘出来，让它们重现光芒。科技类的图书偏重实用，一过时就不会有太多读者了，除了研究科技史的人还要用到之外。人文科学则不然，有许多书是常读常新的。然而，这套丛书也不都是旧书的重版，我们也想请一些著名的学者新写一些学术性和普及性兼备的小书，以满足读者日益增长的需求。

“大家小书”的开本不大，读者可以揣进衣兜里，随时随地掏出来读上几页。在路边等人的时候，在排队买戏票的时候，在车上、在公园里，都可以读。这样的读者多了，会为社会增添一些文化的色彩和学习的气氛，岂不是一件好事吗？

“大家小书”出版在即，出版社同志命我撰序说明原委。既然这套丛书标示书之小，序言当然也应以短小为宜。该说的都说了，就此搁笔吧。

亲切的启蒙

《唐人绝句启蒙》一书初稿成于1989年5月12日之前，大约1990年元旦之前完成修改，1990年12月由开明出版社出版。《唐宋词启蒙》成稿大概在1991年6月，1993年9月由开明出版社出版。第二本书的完稿到出版中间隔了两年多的时间，首印数也比第一本书少了6000册，其中消息颇堪玩味。这两本书的编著者李霁野先生是新文学名家，更是知名的翻译家。他之广为人知一是他以译事受知于鲁迅先生，入未名社，由此追随鲁迅先生并终生受其影响；二是他是《简·爱》最早的译者之一，还译过乔治·吉辛那部有名的《四季随笔》。

“五四”那一代的作家学者多是博洽古今、淹贯中外的通才，更不必说，在他们的知识体系中，包括古典诗词修养在内的“旧学”本来就是童子功。在《唐人绝句启蒙》的“开场白”中，李霁野先生这样写道：

抗日战争爆发第二年，我到北平辅仁大学教书，住在白米斜街，课后十五分钟可以到家，要喝两杯茶，休息二十分钟后吃午饭。我想忙里偷闲，读点中国古典诗词最合适，便找书放在案头，一边喝茶，一边翻阅几首，觉得是一种很好的享受。

其实，早在这两本书问世四十多年前，正值人生盛年的李霁野就已经有过编选唐宋诗词娱妻课子的尝试。这一点，在“开场白”的一段文字中交待得很清楚：

稍后到白沙女子师范学院教书，国立北京图书馆已迁往附近。我在那里借到了《全唐诗》，又从别处借到《全宋词》……便用一向只浏览的习惯，看到喜爱的诗词，随时抄录下来。你们的祖母已到我的故乡，随时准备携二子入川，我想用这些诗词首先娱妻；其次选些较为浅显的诗课子，使他们也得到点我童年所感到的喜悦。

陈漱渝先生在《鲁门弟子李霁野》一文中说：“李霁野先生是诗人，写过语体诗，也写过格律诗——仅旧体诗就多达600多首。”1948年，李霁野曾整理所写旧体诗，集为《乡愁集》。1961年，集新中国成立后所写旧体诗为《国瑞集》。

1985年，又将二者合而集之，更名为《乡愁与国瑞》问世。他在写格律诗的同时，还尝试着用五七言绝句翻译了菲兹杰拉德用英语转译的《鲁拜集》。可见他始终保持了对旧体诗词写作的兴趣。

他的旧体诗词写作能达到怎样的水准，可以举他比较得意的一首诗为例：

曾记温泉晚渡头，
斜阳帆影恋碧流。
今朝白鹤腾空去，
不负此番万里游。

诗风平易自然，眼前景，心中意，信手拈来，不事雕琢，这与他的文风也完全是一致的。

李霁野先生以八十多的高龄，为自己的孙儿辈，编选这两个选本，从一个方面可以看出他对诗歌陶冶性灵、澡雪精神的作用的重视。他引用英国诗人丁尼生的诗句说“我知道天下没有比好诗更灵巧的教师”，他认为“好诗能启发我们发觉生活中的真善美，纯化我们的心灵”，他的选诗、讲诗的实践承续的正是从孔子开始的中国“诗教”的传统。另一方面，从相关材料可以得知，李霁野先生对从这三个孩子身上体现出的当代学校教育的弊端深有体察，极为愤怒。吴云《缅怀李霁野先生》一文中写道：

> 八十岁以后，有件事很让李先生恼火：孙子和孙女在两所重点中学读书，这两所学校留的作业较多，他们每晚都要十点或十一点才能完成作业。我那时每次去看李先生，谈话重点总是这件事。他让我到市教育局上告这两所学校，说他们办的是“摧残孩子的教育”。他还曾一人拄着手杖，到其中一所学校找校长，大骂他办的学校是“杀人教育”。

《唐宋词启蒙》中，讲解贺铸的词《石州引·薄雨初寒》“芭蕉不展丁香结”一句时，突然插入了这样一段：

> 你们为啥有点愁眉不展呀？这个愁眉不展，你们容易懂，因为学校作业太难太多，考试看不清意思，答不上来，你们都会愁眉不展。

对拘束在“塞与考两重夹板中间”、深陷当代教育深井之中的孙儿们的窘境，老人有多么深切的感受与同情！他的重拾中国家塾传统，重拾自己四十多年前曾操的旧业，这应该也是一个很大的诱因。

两个选本都名为“启蒙”，一方面从字面上表明它们只是入门的初级读物，只能供初学者“囫囵吞枣”后“略尝点枣味”；另一方面也是李先生预留后路式的自谦。对自己的孙儿辈，他老实坦率地说：“我没有深入的学力”“我对词并无专门的研究，鉴赏的能力也不高。”但读者不可对他的夫子自道信以为真。这里面有三分的真实；但专门家的、学究式的“别裁伪体”、“考镜源流”以及钩深抉隐、旁征博引本也不是他的志趣所在。他希望的是他的孙儿辈，包括他的读者借由他这两个选本的导引，通过一点启蒙的常识，由浅入深，一步一步接近中国诗歌的美善之境。他的目标是通过诗歌之美指向人生之美，指向充实健康的身心平衡，“要有知识和勇气，抓紧时机，使生活向高、深、广处发展”，或者，就像他喜欢的英国诗人兰多（Savage Landor）的诗句所写：

Nature I loved，and next to Nature，art
I warm’d both hands before the fire of life

It sinks,and I am ready to depart.

我爱自然，其次我爱艺术
我在生命的火前温暖我的双手
一旦生命的火消沉，我愿悄然长逝。

唯有生命的火光可以照亮诗歌之美，亲切的人生经验是我们通往诗歌殿堂的门票。这就是李霁野的“诗教”，是他从四十年代开始在重庆白沙女子师范学院为学生做演讲写作《给少男少女》直到这个时期为孙儿选诗解诗一以贯之的诗学ABC或骊龙之珠，其中最为要紧的两个关键词就是“经验”“亲切”：

> 读书必须是自己的有机的一部分，必须和自己的生活经验熔为一炉。若是书和生活经验发生了亲切的关系，书便有了味道，变为自己的朋友一样了……书将人的生活方式和态度根本改变，是常有的例子。反之，实生活的经验越丰富，读书的欣赏和理解力也就越深广，也就越能领略书中的真味。所以读书与生活是相辅相成的，必须两者并进，才可以达到佳境。光读书而无生活，只尝得到间接的经验，

和吃嚼过的饭差不多。光生活而不读书，却势必空虚、狭小。（《给少男少女·读书与生活》）

说的是读书，与读诗正是一个道理。实际上，后文举例时，分别提到韩愈《山石》“黄昏到寺蝙蝠飞”，辛弃疾《清平乐·独宿博山王氏庵》“绕床饥鼠，蝙蝠翻灯舞”，以及张继《枫桥夜泊》“夜半钟声到客船”，恰恰都是诗词的例子，而四十多年后，同一段话在《唐人绝句启蒙》中解析张继诗时几乎完全重复了一遍。

将亲切的经验作为入诗的津梁、解诗的钥匙，这样的例子，在《唐人绝句启蒙》和《唐宋词启蒙》中俯拾皆是：

有点小小的经验使我对这首诗感到特别亲切。前几年我游长沙，在橘子洲头看到一叶扁舟在湘水里缓驶，一直看着它在碧空消失，我便低吟李白这首诗，看着准备送别的朋友。（《唐人绝句启蒙》析李白《黄鹤楼送孟浩然之广陵》）

抗战胜利后回乡时，坐长途汽车顺嘉陵江岸颠簸前进，旅客们都怕翻车落到江里，我却“笑看嘉陵波溅珠”。我时时想旧地重游，但总未能实现。我读这首诗特别觉得亲切，同这点经验很有关系。（《唐人绝句启蒙》析元稹《嘉陵江》）

诗人所写的诗，若与自己的经验有吻合之处，就会觉得格外亲切。抗日战争后期，我在四川白沙住了两年，常常遇到巴山夜雨的情况，奶奶住在安徽故乡常来信问我归期，我就把这首诗抄寄给她看，因为这首诗仿佛是替我写的。（《唐人绝句启蒙》析李商隐《夜雨寄北》）

我游过灞陵旧址，还折柳送赠想象中的友人，所以读这首词觉得特别亲切。（《唐宋词启蒙》析李白《忆秦娥》）

酸风射眸子的滋味，没有经验过是写不出的。我确知这个细节写得十分真实，增加了亲切感。（《唐宋词启蒙》析周邦彦《夜游宫》）

我读这首词特别觉得亲切，因为引起一些童年的愉快回忆。（《唐宋词启蒙》析辛弃疾《青玉案·元夕》）

亲切的经验对于赏读诗歌既是如此重要，而对于人生尚未打开、阅历还是空白的孙儿辈，经验不足却正是他们先天不足的短板。所以李霁野先生始终在鼓励他们“多接近大自然，培养多方面的乐趣”，学着“观察、体会、捕捉、描绘”生活中随处都有的美。他甚至时常直接向孙儿们发出建议，身体力行，在日常生活中再现诗的情景与意趣。如在讲元稹《东城桂》一诗时，这样说道：“不知你们可有过诗人的妙想，问问嫦娥要不要在月宫中再种两株桂树？……你们可以写一封信给嫦娥，请她答复诗人提出的问题。她既服过仙药，我想她一定还健在。”在解析杜牧《盆池》中又说：“我家后园虽小，你们也可以仿他的办法掘一个盆池，把明月白云收进盆里。若在池里养几尾金鱼，种几株芙蓉，那就更锦上添花了。”这样的讲诗，不再是干巴枯涩的文字铺排，而是将生活与诗打成一片，生气灌注，现场感十足。有这样一位热爱生活、富于童心童趣、风趣随和的爷爷，用这样一种别开生面、亲切平易的方式，导引自己进入“自然”与“艺术”的高广深远之境，那三位孩童——正辉、正虹与正霞，该有多么幸运。

在李霁野的诗歌家塾中，生活的经验与诗歌的美感就这样共生在一起。一方面，“生活不仅是文艺创作的源泉，也是艺术欣赏的源泉”；另一方面，诗歌提纯美化了生活，把自然的一花一草、一丘一壑，个人的一悲一喜、一颦一笑包容到人类共通的美感经验之中，点石成金，化腐朽为神奇。

应该说明的是，李霁野先生欣赏诗歌的“亲切的经验”都得自个人真实鲜活的生活经历，在明确的时间、地点发生，与特定的人物对象相关联，具有饱满丰盈的细节。有的学者在赏读诗词时，也会给生活经验留出一席用武之地。如沈祖棻先生在《唐人七绝诗浅释》中评析李商隐《夜雨寄北》有这样一段：“生活经验告诉我们，凡是已经摆脱了使自己感到寂寞、苦恼或抑郁的环境以及由之产生的这些心情之后，时过境迁，回忆起来，往往既是悲哀又是愉快的，或者说，是一种掺和着悲哀的愉快。”分析得很细腻深入，但因为缺少与个体经验有温度的勾连，仍不免抽象肤廓，不如李先生回忆夫人来信的亲切可感。在赏析辛弃疾的《青玉案·元夕》一词时，李先生一共用了不过1000字，其中有700多字都是有关“童年愉快的回忆”，讲词本身的不过200多字而已。那一段童年回忆有场景、有细节，其实就是一篇有关皖北小城元宵灯市的优美散文，其中描写了“不仅不舞，也不动，只偶然晃一晃头，仿佛刚刚醒来一样”的“懒龙”，甚至还提到“看到了以后同台静农爷爷结成恩爱幸福夫妇的于姐”这样让人读来兴味盎然的小插曲。从来讲这首词，多少名家，能讲得如此亲切有味，让人真有身历其境之感的，大概也只有李霁野先生了。

读者阅读李霁野先生这两本“启蒙”，如果能够懂得以个人的经验观照文学，同时以文学的美感升华人生，让文学与人生在亲切之中互为镜像、互相生发，他以后无论品鉴文学还是阅历人生都会有别样的眼光与发现。

李霁野先生的选诗解诗，如他自己所说，只是一种“素人的消遣”。所谓素人，大概意思接近于约翰逊博士所说“未受文学偏见污损的普通读者”。他有他专门家不及的过人之处，自然，也会有素人之所短。譬如，不是那么讲究版本，有些地方可能是依靠记忆导致舛误，如李商隐诗《瑶池》“八骏日行八万里”应该是“三万里”，李群玉《引水行》“十里暗流水不断”应该作“声不断”等；有些词意解释不够准确，如将“危栏”“危堞”之“危”解释成“危险”；其中，还偶有一些史实性错误，如将陆凯折梅寄范晔的陆凯误成“吴陆凯”，大概是把人物属地与人名误连在一起了（考虑到本书的普及性质，对此类明显的错误和版本之讹均直接予以修改）。在分析潘阆《酒泉子》时认为“弄潮儿向涛头立，手把红旗旗不湿”这两句是“概括周密在《武林旧事·观潮》中的记载”，这样的说法，以后事证前事，起码是不够严谨。读者于这些地方，也可不必吹毛求疵，刺刺不休，存而学其长，知而略其短可也。

韩敬群

2015年11月22日

目　录

王维

李白

开场白

正辉、正虹、正霞[①]：

你们在小学和中学里都读过几首中国古典诗，因为欢喜，都背熟了，这很好。现在我想给你们选讲一些首唐人绝句，作为在寒暑假期间的一种文娱活动，帮助休息一下身体和头脑。希望不要把它作一门功课去死记硬背，增加学习的负担。

我童年在私塾读书的时候，塾师偶尔也教我们读背几首唐诗，如李白的《静夜思》、贺知章的《回乡偶书》，我感到很大的喜悦，私下也从《唐诗三百首》中半懂不懂地选读些首。虽然囫囵吞枣，也多少尝到点枣味。

上师范学校和中学的时候，白话新诗已经出现，分量不

① 正辉、正虹、正霞是作者的孙儿女。——编者注

多，我几乎把能弄到手的都读了。这时我读的古典诗并不多，但已经有点“不薄今人爱古人”的意味。在中学时，初步通过英文读了点外国诗，特别是以爱情为主题的外国诗，却“别有一番滋味在心头”，不过这种异国滋味，倒也颇合胃口。上大学后，中国古典诗和外国诗都稍稍读了一些，但忙于自筹学费和生活费，读诗成为奢侈，只能浅尝即止。

开始教书时，为备课稍稍多读些外国诗，兴趣还是很浓厚的，但并不是深入学习；读中国古典诗也不多，更谈不上比较研究。要说比较嘛，也不过像吃点西餐一样，觉得同中餐味道有点不同罢了。说得好听点，我读中外诗只是素人的消遣。这种消遣也无福常常享受。

抗日战争爆发第二年，我到北平辅仁大学教书，住在白米斜街，课后十五分钟可以到家，要喝两杯茶，休息二十分钟后吃午饭。我想忙里偷闲，读点中国古典诗词最合适，便找书放在案头，一边喝茶，一边翻阅几首，觉得是一种很好的享受。可惜好景不长，我被迫逃出沦陷区。

我先到重庆北碚复旦大学任教，一位同事的《全唐诗》，已被人借得七零八落。我这时开始学习写绝句，很想细读读唐诗，也只好叹息一声罢了。稍后到白沙女子师范学院教书，国立北京图书馆已迁往附近，我在那里借到了《全唐诗》，又从别处借到《全宋词》，这可算打开了两个宝库。那时也有时间，便用一向只浏览的习惯，看到喜爱的诗词，随时抄录下来。你们的祖母已到我的故乡[①]，随时准备携二子入川，我想用这些诗词首先娱妻；其次选些较为浅显的诗课子，使他们也得到点我童年所感到的喜悦。不意日寇有窜扰川贵的形势，他们并没有入川。

四川产的一种竹纸极薄，但用钢笔、毛笔书写都可以，我就是用这种纸用小楷抄写诗词，订成小本，同几位学生共同翻阅，她们也颇感兴趣。这些抄本也破除过旅途的寂寞，留下愉快的回忆。可惜“文革”抄家时，这些抄本被抄去毁掉了。毁掉也罢，娱妻课子都是没有什么必要的了。

离休以后，稍有闲暇，偶然翻阅中国古典诗词，有些像老朋友一样，一见还引起惊喜，有“他乡遇故知”之感。想到娱妻课子虽然已成过去，但选些唐人绝句给你们讲讲，顺便也谈谈家常，说说往事，或者你们也不致太厌听吧。我没有深入的学力，若能浅出，使你们能像我在三家村私塾一样，囫囵吞枣，而略尝点枣味，我也就很满意了。

---

① 故乡是指作者的原籍安徽霍邱县叶集。——编者注

我为什么要给你们选讲一些唐人绝句呢？因为唐人绝句是用最精彩的手法，表现了：（一）高尚的情操；（二）崇高的思想；（三）丰富的想象；（四）生活的时代气息；（五）精美的文字；（六）独特的民族形式。我希望选讲的绝句，可以作为例证，供你们欣赏吟咏，真正喜欢的，可以随时哼哼，自自然然地背熟。有些可能你们并不喜欢，这也很自然。因为好诗是从生活经验中提炼的精华，你们以后生活经验逐渐增多，就会对它们有亲切的感觉了。

有系统地研究，我自己没有下过功夫；对你们来说，如果将来不专门从事中国古典诗词的研究，似乎也没有必要，所以对于诗人的生平只简单说几句。他们不少人，经过宦海浮沉，但有些官的名堂，对当代人已无意义，不必多谈。有些诗人生平事迹，鲜为或不为人知，我们更无从多谈。有些诗人的轶事或关于诗的本事的材料，也未必是可靠的史实，顺便当故事谈谈，我姑妄言之，你们姑妄听之吧！诗中词的注释，采取通俗易懂为主，当然这中间少不了前人研究的成果，但总归是通过自己的思考而表述出来。倘有领会错误，只能说明自己的水平仅达到这个程度而已。

前面我已说过，好诗可以用六条标准来衡量，但每一首诗不可能六个条件俱备。因为每个诗人都有个性，总有点不同的特色，也就是各自独特的风格。例如同样写赠别友人的诗，写法就不同。同样写祖国山水，内容也千变万化。读诗的人经验不同，感受自然也就很不一样，况且一个人的感受也不是一成不变的。但好诗都能潜移默化，对我们进行最好的教育。我现在将英国诗人丁尼生（A. Tennyson）的几行诗（他所歌颂的是对于女郎的初恋）略加改变，歌颂好诗所能起的作用：

我知道天下没有
比好诗更灵巧的教师，
不仅将人内心卑污的一切
抑制下去，
却也教给高尚的思想，可爱的言辞，
礼貌，求名的欲望，
爱真理的心，使人成为好人的一切。

1989年5月12日

王绩 （585—644）[1]

隋灭后，唐王朝于公元618年建立。王绩是太原祁（今山西祁县）或绛州龙门（今山西河津县）人，在隋和唐都做过职位不高的官。不过他主要的生涯是在隐居中度过的。他敬仰晋代诗人陶潜，躬耕并好饮酒，诗文也很受陶的影响。在唐开国后几十年中，齐梁的华靡浮艳的诗风还盛行，王绩所写的诗朴素自然，自成一种艺术风格。

秋夜喜遇王处士

北场芸藿罢，东皋刈黍归。
相逢秋月满，更值夜萤飞。

① 即公元585年至644年，省去“公元”和“年”字，以下仿此。——编者注

这首诗可以略见他的生活和诗风的一斑。

处士是对不任官职而隐居的人的客气称呼，不知王处士是什么人，从诗可知是王绩的好友，因此见到他感到欢喜。北场指屋北的田地，东皋指屋东的高地，芸与耘通，芸藿是锄豆，刈黍是割谷子，都是农活。这两句写诗人从事农业劳动的闲适态度，很有田园风味。在满月光辉下有萤火虫飞来飞去，已经很够赏心悦目，在这样幽美环境中又遇到友人，喜悦的心情就含蓄而又自然地表达出来了。

卢照邻 （637？—689？）

幽州范阳（今北京市大兴县一带）人，曾经做过不大的官。因病辞官住到太白山中，迷信，妄服丹药中毒，手脚都残了。疾病折磨得他苦痛不堪，投水自杀了。卢照邻是初唐四杰之一，他们的最重要贡献是在五言律诗方面，不过也写过较好的五言绝句。

曲池荷

浮香绕曲岸，圆影覆华池。
常恐秋风早，飘零君不知。

曲池大概是指池形说，非方非圆；曲岸，即弯弯曲曲的池岸。浮香指荷花的香味，借香指花；圆影指荷叶。从三四句看来，似借荷花以自喻。结合诗人的不幸生活看，有自叹过早飘零之感。

骆宾王 （640？—684）

骆宾王这个名字，你们是知道的了，因为你们读过他七岁时作过的一首诗：“鹅、鹅、鹅，曲项向天歌，白毛浮绿水，红掌拨清波。”他是义乌（在今浙江义乌县境）人，因为讽谏武则天被下狱。后遇赦任临海县丞，终于弃官而去，可见很有气节。当徐敬业举兵反对武则天时，骆宾王为他写了一篇《讨武曌檄》，虽然武则天也称赞他有才华，可是若被捉住，也要砍头的。在徐失败后，一说他自杀了，一说他隐名藏起来了，一说他被人杀了。他的一生是很不幸的。他也是初唐四杰之一。

于易水送人

此地别燕丹，壮士发冲冠。
昔时人已没，今日水犹寒。

易水出河北省易县境。战国时燕太子丹在这里送荆轲去刺杀秦王，所以诗的头两句写到这段史事。荆轲去秦，是要迫使秦王退还六国领土，失败被杀，所以他临别时所唱的两句歌，“风萧萧兮易水寒，壮士一去兮不复还”成了预言。“冲冠”，就是“怒发冲冠”的意思，表示当时大家激昂慷慨的情况。后二句写荆轲虽死，今天易水仍寒，英气还永存人间。诗是送别，但既未说明所送何人，也未写离愁别恨，为赠别诗别创一格。不过借史咏怀，既可见诗人的风格，也可见他对友人的情谊。

李峤 （644—713）

赵州赞皇（今河北赞皇县）人，二十岁前就中了进士，对当时的文人说，可以早做官，是一大可喜的事。他还算官运亨通，不过之后也遭到贬谪。他与初唐四杰的另外二人王勃和杨炯早期有交往。

中秋月 （二首录一）

圆魄上寒空，皆言四海同。
安知千里外，不有雨兼风？

魄指月光，圆魄就是圆月。一般认为满月可以普照四海，其实相离不远的地方，天气就可以很不一样，更不必说千里以外。诗的意思当然不仅指明这一天文常识，而是蕴含着“月儿弯弯照九州，几家欢乐几家愁”的意思。

风

解落三秋叶，能开二月花。
过江千尺浪，入竹万竿斜。

风原是看不见的，这几句形象化的描写，却使读者如见其形，如闻其声。形象化是诗的主要艺术手法，据说形象思维可以使右脑发挥潜力。照此说来，那古典诗歌不仅可以美化情操，对于发展智力也是有一定作用的了。

王勃（约650—675？）

绛州龙门（今山西河津县）人，是王绩的侄孙。年纪很轻时，因《滕王阁序》一文被人赏识，得做几任小官。后因诸王嗜斗鸡，戏为“檄鸡”一文得罪皇帝，被斥逐。往父亲谪地交趾省亲，船沉溺死海中。但在他现存文集中有死年以后的文章，有人因此又对溺死提出疑问。

山中

长江悲已滞，万里念将归。
况属高风晚，山山黄叶飞。

这首诗第一句只有五个字，就有几种不同的解释，可见读古诗有时有困难。我一向喜欢陶渊明“好读书不求甚解”的办法，只求了解大意就可以了。不过听说你们在中小学考试时，一字一词与“标准答案”不同，虽说意思完全不错，也要扣分，我就不敢将我的办法传授给你们了。但又没有“标准答案”，这可真使人伤脑筋。好在现在虽然考试既严又多，也不一定就考到这首诗，你们也不会在猜题时想到这首诗，我们就一知半解，采取一个解释吧。

这首诗另有一个题目“思归”，既又题“山中”，可以想象因江行不通，滞留山中，望长江而悲叹，所悲者是“滞”。为什么悲呢？“念”离乡万里，待归不能如愿。因悲而念，念而更悲，一二句就贯通一气了。高风黄叶是秋肃的形象描写，黄昏时分又增加了凄凉气氛，归心似箭而又不能成行的悲愁就充分表现出来了。

杨炯　（650—695？）

陕西华阴人。因为有点才气，颇为骄傲。他是初唐四杰之一，自称“愧在卢前，耻居王后”，可见他是不大佩服王勃的。他留下《盈川集》三十卷，诗一卷，但只有一首绝句。

夜送赵纵

赵氏连城璧，由来天下传。
送君还旧府，明月满前川。

杨炯这首诗涉及一个有趣的故事。战国时有秦国和赵国，赵国有块珍贵的和氏璧，秦王听说了，送信给赵王说，愿用十五座城换取此璧。赵王派蔺相如去献了璧，但秦王无意如约割城，蔺相如设计怀璧回到赵国。这就是“完璧归赵”的故事。杨炯的朋友姓赵，所以他用了这个典故，表示对朋友的器重。第三句的“旧府”指赵纵的故乡，也就是和氏璧的故乡。这种历史的联想表示他们友谊的亲切。

这位蔺相如还为赵国立过不少功，因此很被尊重。同时赵国还有一位武将廉颇，很有军功，心里不服，多次侮辱蔺相如，但蔺宽宏大量，以国家为重，毫不报复。廉颇很受感动，袒胸负荆，亲自向蔺相如赔罪，两个人成了很要好的朋友。“负荆请罪”这个成语就是从这个故事来的。

韦承庆 （约 651—706）

唐朝初期的一个诗人，只留下七首诗。他曾被流放到现今的广东地区。

南行别弟

澹澹长江水，悠悠远客情。
落花相与恨，到地一无声。

“澹澹”是水流动的意思，“悠悠”表示离别的忧思又深又长。这两句诗比喻离别的忧思像流动的长江一样。这样的比喻是诗中常见的。

第三四两句却是诗人的妙想天开了，他觉得花也对他表示同情，默默无声地落到地下，兄弟离别的忧思就又美又活地传达给读者了。

宋之问 （656？—712）

虢州弘农（河南陕西商洛一带）或汾州人。因巴结武则天的宠臣张易之，在朝廷做了官，张被杀后，宋也被贬官放逐到泷州，即现在广州地区。

渡汉江

岭外音书断，经冬复历春。
近乡情更怯，不敢问来人。

他被贬到泷州后，逃回洛阳。这首诗大概就是这时所写的。汉江就是汉水，长江最长的支流。他在被放逐期间，从冬到春几个月接不到家信，思念不安的感情是不难想象的。在向家乡行近的时候，不明了家里的情况，既想知道，又不敢问，后两句诗把这种心理状态表现得真实深刻，很有感动人的力量。

在抗日战争时期，我逃出沦陷的北平，家人还滞留在那里，往往一两个月无信，我很不安，总想起这首诗来。一天收到来信，我还仿这首诗写了一首绝句："烽火音书绝，经旬复历月。今朝锦书来，疑是天上雪！"

郭震 （656—713）

字元振，魏州贵乡（今河北大名县）人，十八岁中进士，为人重侠气，不拘小节。武则天很赏识他的《宝剑篇》，之后在几朝都任官职。

米囊花

开花空道胜于草，结实何曾济得民。
却笑野田禾与黍，不闻弦管过青春。

米囊花就是罂粟花，花朵极为艳丽，结籽如粟粒，可炼成鸦片。英国人过去贩卖鸦片，毒害中国人民，因禁烟引起鸦片战争，中国人民遭受到长期的灾难。这首诗我们读起来就更觉得有意义了。

白白说米囊花开花比草好看，它结的果实哪能救济百姓。却笑田野里的粮食作物，听不到弦管乐声，虚度了青春。末句我只以意推测：讽刺达官贵人吸鸦片，享受奢华歌舞生活，米囊花也陪同享受了。不确知唐人是否已经有吸鸦片的习惯。

子夜春歌

青楼含日光，绿池起风色。
赠子同心花，殷勤此何极。

子夜秋歌

邀欢空伫立，望美频回顾。
何时复采菱，江中密相遇？

《子夜歌》相传是东晋时的女子子夜所创制，是乐府吴声歌曲。它的变调有《子夜四时歌》，多为恋歌，在民间极为流行。以后诗人多有拟作。

青楼原指富贵人家女子的闺阁，含日光是被阳光照耀。二句是起了风，池塘有微波，因景生情，以表示爱意的同心结赠送情人。

“欢”是女子对男子、“美”是男子对女子的爱称。站着相望而不能亲近，只好希望采菱时在江上密遇了。

贺知章　（659—744）

越州永兴（今浙江萧山）人，于天册万岁元年（695）前去长安考进士，之后在那里做官。性放纵，自号“四明狂客”，天宝元年（742）回家乡学道。同李白、杜甫都是朋友，但他只写了几首好诗。

回乡偶书　（二首录一）

少小离家老大回。乡音无改鬓毛衰。
儿童相见不相识，笑问客从何处来？

这首诗写得十分浅显易懂，但是怀乡的深情和回乡的喜悦，表现得既自然，又深刻。我读这首诗觉得特别亲切，因为童年在私塾读过。我1926年夏回乡省母，离乡不过三年多，却问给我送茶的二弟是谁，引起哄堂大笑。若是我离开三十年回来，大概孙辈们也会“笑问客从何处来”吧。

提到怀乡，我顺便讲个故事。晋代有一个张翰，原也在外面做官，秋风起时，突然想到家乡的“莼羹鲈脍”，便辞官回到故乡去了。这件事传为佳话，用为辞官回乡的典故。莼是一种水里生长的菜，它的味道很美，鲈据说是杭州附近产的一种鱼，可惜我还未品尝过。

我还就《回乡偶书》，想讲点读古典诗的常识。汉字古代的读音，有些与现代不同，例如“衰”就读作“摧”，“来”读作“雷”。现在有人读古诗也这样读。不过我们按今音读也可以。诗中的字有的也不同，如：“离家”有的作“离乡”；“无改”有的作“难改”或“不改”。“笑”也作“借”或“却”，我们选一个自己认为好的就行了。

采莲曲

稽山罢雾郁嵯峨，镜水无风也自波。
莫言春度芳菲尽，别有中流采芰荷。

稽山即会稽山，在绍兴境。雾消后显得高峻。镜湖水面原来很大，所以无风也有波浪。莫要说春天过去就没有花了，因为还有菱和荷花（莲）可采。三四两句表现了诗人乐观主义的精神。

咏柳

碧玉妆成一树高，万条垂下绿丝绦。
不知细叶谁裁出，二月春风似剪刀。

碧玉是一个女子的名字，源出乐府吴声歌曲古辞，以后泛称年轻貌美的女子。诗第一句把柳树比作她，第二句从她的“妆”把柳丝比作“丝绦（丝带）”，柳便成为很美的形象了。下二句的想象从前二句生发，但很奇特：原来这丝带似的细叶是二月春风剪出来的。这里蕴含着对大自然的赞歌。

张纮 （生卒年代不详）

武则天时应试登第，曾官监察御史和左拾遗，后贬司户。存诗三首。

怨诗

去年离别雁初归，今夜裁缝萤已飞。
征客近来音信断，不知何处寄寒衣。

雁是候鸟，冬天飞往温暖地带，春天回归北方。萤火虫夏天才有。二句表明离别已有一年多时间了。征客指被征去作战的丈夫，那时要自备武器和衣裳，现在连必备的寒衣也无从寄了，怨情是很自然的。唐代征战频繁，服役时长，怨妇很多，不少诗人写诗代她们诉苦。这首诗通过一件日常的小事，表达了妇人关心丈夫艰苦安危的真挚感情，文字朴质，毫无雕饰。

张说 （667—730）

洛阳人。历任四朝官吏，曾两次入蜀。诗文力矫前代浮靡之风，讲究实用和风骨。

蜀道后期

客心争日月，来往预期程。
秋风不相待，先至洛阳城。

第一句说诗人心里想争取时间早回家，第二句说预先定好了往返的日期。料不到不能如期回到洛阳，秋风却比自己先到了。前二句的好处在用字极为精炼，却把旅客思归的心情写活了。三四句不直写误了归期，却委婉责怪秋风先到，诗思和艺术手法都很奇巧。

送梁六自洞庭山

巴陵一望洞庭秋，日见孤峰水上浮。
闻道神仙不可接，心随湖水共悠悠。

梁六是潭州（今长沙）刺史梁知微，诗人的朋友。洞庭山即君山，梁路过巴陵（今岳阳）入朝，诗人从巴陵附近的洞庭湖送别，写了这首诗。首句、二句写从巴陵见到洞庭秋色，并见到湖水中的孤峰即君山。这个山本来是很美的。有不少诗人吟咏，这里只称为“孤峰”，隐约暗示作者谪居巴陵的孤寂心情。第三句写到关于君山的神话传说：一说这是舜的二妃湘君居住的地方，一说水下有玉女居住的金屋几百间。这些传说飘缈恍惚，是诗人心情进一步的含蓄写照。末句写诗人孤苦的心，随着悠悠的湖水，送友人入朝，而自己仍然只能留在谪地，情景交融，耐人寻味。

张九龄（673—740）

韶州曲江（今广东曲江县）人。唐玄宗时曾任宰相，敢直言进谏，曾预料安禄山要造反，但玄宗不听，留了后患。后被李林甫排挤去位，诗风清淡，对王维、孟浩然有些影响。

自君之出矣

自君之出矣，不复理残机。
思君如满月，夜夜减清辉。

诗的题目属于乐府杂曲歌辞，内容都写妇女思念外出的丈夫。这首诗的头两句写丈夫外出已久，妻子无心收拾织机织布了。三四句以满月夜夜减少光辉，渐成残月，来比喻妇女思夫，身心憔悴，既表现了她的美容日衰，也表现了她的心灵纯洁，爱情真挚。

王之涣　（688—742）

并州（今山西太原市及附近地带）人，解放后出土的墓志铭使我们略知他的生卒年和少数事实：他做过县尉小官，所写的诗多为乐工谱曲歌唱，流行一时。可惜诗只存下六首。

登鹳雀楼

白日依山尽，黄河入海流。
欲穷千里目，更上一层楼。

鹳雀楼是唐代登临胜地，原在山西蒲州（今永济县）西南城上，后被水淹没。“鹳雀楼三层，前瞻中条，下瞰大河。”（沈括《梦溪笔谈》）中条是中条山，大河是黄河。诗的前两句写太阳从远山后面落下去，黄河经过楼前一直流入东海，既写了可见实景，又想象到远景情况，将一幅美丽山河宏图缩绘到读者眼前了。后两句更深一层，写要再想扩展眼界，还必须更上一层楼才可以看到无穷美景，画面就更为广阔了。对大自然宏观描写，表现了诗人崇高的精神境界。人们常用这两句诗鼓舞人的雄心壮志，向更高的理想攀登是很自然的。

凉州词 （二首录一）

黄河远上白云间，一片孤城万仞山。
羌笛何须怨杨柳，春风不度玉门关。

《凉州》是宫调曲，词是这个曲的唱词。这类诗总写边塞生活和风光。一片即一座。古代一仞为八尺，万仞极言山高。羌笛是从羌族引进的乐器。《杨柳》即《折杨柳》，古人常用笛吹奏这支曲子表示惜别，意含哀怨。玉门关故址在今甘肃省敦煌县西，是古代通往西域的要道。末句诗意含蓄而丰富，既怜戍边将士的艰苦，又刺封建王朝对他们的淡漠。

这诗的首句头两字，有人主张应为“黄沙”，重写实手法，指当地漫天黄沙的实况。有人主张应为“黄河”，重浪漫主义写法，想象到千里外黄河源头，荒凉画面更为广阔。

关于这首诗，还流传有这样一个故事：皇家乐队歌女举行宴会，王昌龄、高适和王之涣也同去酒家喝酒。四个美丽姑娘歌唱入乐的绝句。三人打赌，听谁的诗被唱次数最多。唱的第一首是王昌龄的，第二首是高适的，第三首又唱的是王昌龄的诗。王之涣有点着急了，但指着最美的一位姑娘说："听她唱，若不是我的诗，以后就不敢同你们比诗了。"她唱的恰恰是这首《凉州词》，三人鼓掌大笑。当她们知道这三位就是写绝句的三位诗人时，便行礼请他们参加了宴会。

宴词

长堤春水绿悠悠，畎入漳河一道流。
莫听声声催去棹，桃溪浅处不胜舟。

这是一首在宴席上送别的诗。漫长的河堤旁绿色春水缓缓向前流动，田间的小沟（畎读犬）汇入漳河一道向前流去。这两句仿佛只是写景，实际上悠悠春水隐喻离愁，小沟能汇入漳河一道前流，而自己却只能看着友人远去，也就含蓄地表现了离愁。怀着这种心情，诗人劝慰自己不要去听送友人远去的棹声，因为离愁过重，桃溪水浅处就要使船载不动了。诗人用委婉含蓄的艺术手法，把离情写得多么动人啊！末句使人联想到李清照的词句：“只恐双溪舴艋舟，载不动许多愁。”

孟浩然 （689—740）

湖北襄阳人。官运不佳，隐居终老，但与李白、王维、王昌龄既有友谊，也互赠诗，王维并为他画过像，所以生活并不寂寞。他的诗淡泊隽永，有很美的意境。

春晓

春眠不觉晓，处处闻啼鸟。
夜来风雨声，花落知多少。

这首诗浅显易懂，但像橄榄一样，细嚼才能尝到回味。读很多好诗，都要像细嚼橄榄一样，不能囫囵吞枣。从第一句我们体会到诗人的襟怀是开朗的，精神是乐观的，所以睡得又香又甜，一觉醒来，天已破晓，听到处处鸟啼，心里充满了喜悦的感情。但又记起曾经听到风雨的声音，便立刻关心喜爱的花，不知被风雨吹落了多少。但这只表现爱春情切，惜春意深，并无伤春的情调。诗人的感情像水面上的涟漪，文字像花香鸟语，自自然然地引读者进入美妙的诗的境界。

宿建德江

移舟泊烟渚，日暮客愁新。
野旷天低树，江清月近人。

建德江指新安江经过建德的一段。烟渚，水中的小洲，被烟雾所笼罩。客愁新，新的愁思。三四两句写在船上所看到的景色：田野广阔，远远看去，树显得比天还高；江水澄清，照在水里的月亮离人很近。美景佳文，引人入胜。

过融上人兰若

山头禅室挂僧衣，窗外无人溪鸟飞。
黄昏半在下山路，却听泉声恋翠微。

上人，具备德智善行的高僧。兰若，寺院的意思，原为梵语“阿兰若”的省语，是寂静而无苦恼的地方。翠微，轻淡青翠的山色。寺院无人，只看到水鸟飞翔。黄昏时下山，听到泉声，愈加贪恋地回顾青翠的山色。幽静的山中美境，诗人的形象和心情都生动地显现在读者的眼前了。

王昌龄 （698—755？）

京兆长安（今陕西西安）人。开元十五年（727）进士。安史乱起还乡，被刺史闾丘晓杀害。他与王之涣、高适、岑参、王维、李白等诗人都有交情。他的边塞诗或写将士奋勇报国，或写军中生活艰苦及军人思乡，无不文字精炼，感情深厚，这些诗和写其他内容的七绝，可以同李白比美。

从军行 （七首录三）

一

烽火城西百尺楼，黄昏独坐海风秋。
更吹羌笛关山月，无那金闺万里愁。

二

青海长云暗雪山，孤城遥望玉门关。
黄沙百战穿金甲，不破楼兰终不还。

三

大漠风尘日色昏，红旗半卷出辕门。
前军夜战洮河北，已报生擒吐谷浑。

“从军行”是乐府题名，内容写边塞军旅生活。王昌龄用此题写了七首七绝。这里选的第一首头二句写一兵士黄昏时独坐在烽火台旁的岗楼上，被青海湖吹来的风吹拂着。古时在敌人侵犯时，燃烽火报警。他一边吹羌笛奏乐府曲《关山月》，一边思念万里外的妻子正在为他发愁，无法排遣。“无那”，无可奈何。“金闺”，妇女居室，指妻。这首诗先写可见可听的有边塞特色的事物，也就是偏于写景叙事，最后一句抒情，怀念故土和亲人的深情又用对方的愁念表达出来，就更委婉动人了。

第二首选诗也先写景，突出边塞特色；三四句写苦战和击败敌人的决心。青海即青海湖，雪山即大雪山，首句说湖上的云使人看不清雪山了。第二句诗的解释很不同，似乎连同第一句，看为一幅广阔画面较好，就是在雪山以西的荒漠中有一座孤城，同玉门关遥遥相对。这既显示出诗的雄伟气魄，也符合当时西北边陲的实际情况。第三四句说的百战之后，身上的金甲都破穿了，可见战争很艰苦。楼兰是汉代西域一个国名，这里泛指敌人。这首诗气势雄浑，文字精炼，语气豪迈，为边疆御敌战士增色，在防卫祖国的正义战争中是很有意义的。

第三首的头二句写沙漠中狂风卷起沙尘，使太阳都黯然无光了，出征的兵士只好半卷起军旗从两辆战车相对竖立起来做成的门走出去作战。三四句写后面还有军队要去增援，可是前军报告已经渡过黄河上游支流洮河，夜晚在那里战斗时，活捉了吐谷浑（读土欲昏）。吐谷浑原为古代鲜卑族游牧部族，这里借指敌军首领。这首诗不直接写战争场面，只用最后一句点出辉煌战果，使读者大有想象的余地，这是绝句艺术的特色。

出塞（二首录一）

秦时明月汉时关，万里长征人未还。
但使龙城飞将在，不教胡马度阴山。

秦时为防匈奴入侵，筑了长城，自然要设关。汉时匈奴时时侵犯，设关防守，也要修整长城。明月和关是从秦汉两朝说的。第一句从前代边患写起，引起许多联想，与当时的边患联系起来，就知道边患十分严重，边塞的战争不利，是十分艰苦的了。这样，第二句就来得很自然了。征夫战久思家，思妇引领盼归，意在言外，十分含蓄。久战不能得到最后的胜利，自然引起思慕以前名将的心情，希望能得到将才大振军威，使匈奴不敢度过阴山。有人主张“龙城飞将”应为“卢城飞将”，指汉名将李广，他曾被匈奴称为“飞将军”。有人主张“龙城”不误，指汉名将卫青，他曾攻匈奴，直到龙城。“龙城飞将”乃二事合用，泛指立边功的名将。阴山在内蒙古自治区南部，汉代匈奴常用为根据地入侵。

闺怨

闺中少妇不知愁，春日凝妆上翠楼。
忽见陌头杨柳色，悔教夫婿觅封侯。

一位少妇原来是无忧无虑的，春天来了，精心打扮一番，原想上楼去欣赏明媚景色，忽然看到陌头柳色青青，心理起了微妙的变化，尝到愁的滋味了。悔不该教丈夫外出过戎马生活，谋求官职。诗表现了少妇天真无邪而又多情善感的性格。

长信秋词 （五首录一）

奉帚平明金殿开，且将团扇暂徘徊。
玉颜不及寒鸦色，犹带昭阳日影来。

汉代班婕妤失宠居长信宫，相传她写了一篇《怨歌行》，以团扇自喻，恐秋凉被弃。王昌龄借用这个故事，写唐代宫廷妇女，她们也往往因色衰而被弃。诗的头两句写天将破晓，开开殿门，用扫帚打扫之后，百无聊赖，挥扇徘徊。下二句仍用班婕妤的故事，昭阳是得宠的赵飞燕姐妹所住的宫殿。这里用了一个极巧妙的比喻，说自己的容颜已经不如乌鸦，因为它还能从昭阳带来日影，即太阳的余晖，所比喻的自然是帝王旧时的恩宠。表达的方式委婉含蓄，新颖别致，增加了艺术的魅力。

芙蓉楼送辛渐 （二首录一）

寒雨连江夜入吴，平明送客楚山孤。
洛阳亲友如相问，一片冰心在玉壶。

芙蓉楼遗址在旧润州（今江苏镇江）西北，王昌龄当时被贬谪后任江宁宰，在今南京。他既然在芙蓉楼宴别辛渐（生平不详），似乎他们是在下雨天沿江到吴国旧地润州了。他黎明送辛渐从那里渡江去洛阳，途中只见到孤耸的楚山。楚同吴一样，也指润州地带。王昌龄遭人谗言诽谤，在政治上很不得意，但他坦然处之，保持着一颗纯洁如冰的心，诗人特别请他的朋友把这一点告诉洛阳亲友，同他的生活经验有密切关系。雨夜孤山的环境气氛，渲染出诗人的内心抑郁和与好友离别的悲伤，临别不只向洛阳亲友泛泛问候，而以极美的比喻表白自己的洁白心灵和不畏谗言的气概，足见他们之间友谊的深厚。

采莲曲　（二首录一）

荷叶罗裙一色裁，芙蓉向脸两边开。
乱入池中看不见，闻歌始觉有人来。

采莲少女的罗裙同荷叶一样是绿色，荷花紧紧靠着她们的面颊盛开，她们已经同荷花混为一体，在池塘中看不见了，直到听到她们唱歌的声音，才知道有人从荷丛中来了。这是人同大自然、诗画音乐融为一体的杰作。

祖咏 （699—746？）

洛阳人，开元十二年（724）中进士。他与王维是诗友，存诗三十六首，多为写景。

望终南馀雪

终南阴岭秀，积雪浮云端。
林表明霁色，城中增暮寒。

终南山在西安南边约六十里，雪后初晴最容易看清楚。阴指山的北面，看来最为美丽，因为阳光照耀着积雪，仿佛浮在云端一样。而且阳光一照积雪，树顶上便闪射出彩霞般的颜色。我们常说“雪后寒”，末句将余雪给人的感觉也写到了。“秀”写得形象化，读者闭眼就可以看到那美景。“浮”“明”“增”用得极为生动。

唐代文人要想做官，必须经过科举考试，试时要写十二句六韵的五言排律。可是祖咏接到此试题后，只写了这么四句就交卷了。主考人问他为什么，他说意思已经写完了。这个故事对为文作诗都很有启发：意思写完，就不要画蛇添足了。

别怨

送别到中流，秋船待渡头。
相看尚不远，未可即回舟。

诗很简单，但感情很自然真挚。

张旭 （生卒年代不详）

吴（今江苏苏州）人，草书名家，世称“张颠”。杜甫在《饮中八仙歌》中把他写得栩栩如生：“张旭三杯草圣传，脱帽露顶王公前，挥毫落纸如云烟。”极尽其醉时豪放，得意挥毫，变化无穷的状态，认为他是能传汉张芝草圣的人。留有诗六首。

山中留客

山光物态弄春晖，莫为轻阴便拟归。
纵使晴明无雨色，入云深处亦沾衣。

留客本来是一件日常的小事，但也需要一点生活的艺术；再写成一首好诗，就更要有点艺术才华了。客人喜爱山景，但微阴欲雨便想归去，诗人开头便把春光明媚的山景概括地写出来了，接着写到他欲归只是怕下雨湿衣。根据他这种心理，诗人进一步写即使天晴，到山的幽深处欣赏美景，云雾也会弄湿衣裳呀。除非友人毫无风趣，我们想他是会留下来同诗人共同欣赏山林美景的。

清溪泛舟

旅人倚征棹，薄暮起劳歌。
笑揽清溪月，青辉不厌多。

征棹，行动的船。薄暮，天傍晚。劳歌，劳动者所唱的歌。清溪月，澄清河水中的月影。青辉，明亮的月光。一边坐船缓行，一边高唱民歌，还笑着去捞水里的月亮，真是赏心乐事！我们到海河上去试一试好不好？

王翰 （生卒年代不详）

并州晋阳（今山西太原）人。景云元年（710）中进士。他性情豪放，喜游乐饮酒。杜甫诗句“王翰愿卜（一作“为”）邻”，是说同他做邻居是荣幸的。他的诗为时人所重，惜只存十三首。

凉州词 （二首录一）

葡萄美酒夜光杯，欲饮琵琶马上催。
醉卧沙场君莫笑，古来征战几人回。

凉州，现今甘肃武威地区。夜光杯，据说周穆王时，西胡献精美白玉制成，夜间发光的酒杯，称为夜光杯，这里指精美的酒杯。葡萄原自西域传入汉。诗的头二句就写出了边疆的特殊景色，因为琵琶是外来乐器，习惯在马上弹奏。头二句似为凯旋后大开宴席，奏乐催人饮酒的欢乐场面。乐极生悲，人之常情，在这种场合想到阵亡的战友也很自然。三句写为胜利而狂欢，末句写念死亡战友而伤悲，并没有什么矛盾。

我1922年在安庆，在商品陈列所做点义务工作，天天听一个老古董商人一面饮酒，一面朗诵这首诗。我想他最欣赏的恐怕是第一句，我那时大概因为厌恶内战，倒最欣赏末句。

崔国辅 （生卒年代不详）

山阴（今浙江绍兴）人，一说吴（今苏州）人。开元十四年（726）中进士。他的诗清新有民歌风味。

采莲曲

玉溆花争发，金塘水乱流。
相逢畏相失，并着采莲舟。

溆，池塘岸边，用“玉”字形容，可见整洁；花争发，岸上百花怒放。以“金”形容塘是同“玉”相对，是说阳光照耀，闪烁如金；水乱流，是采莲青年男女的船在水上行驶的结果。这两句将环境写得美极了。三四两句写活了青年男女相依相爱的情况，他们的纯洁心灵，活泼情态，跃然纸上。

小长干曲

月暗送潮风，相寻路不通。
菱歌唱不彻，知在此塘中。

上首“采莲曲”和“小长干曲”，都是旧乐府歌曲名。小长干遗址在南京的南边长江岸上。月暗，月光朦朦胧胧；湖上微风吹拂。相寻是一个青年去寻找心爱的情人，但是路走不通。不过采菱的歌声不停，他闻声就知道情人在池塘中采菱。在这类抒情小诗中，主要内容是写青年劳动者间自然健康的爱情。这类诗可以培养人们有纯洁高尚的情操和正确的人生态度。

古意

净扫黄金阶，飞霜皎如雪。
下帘弹箜篌，不忍见秋月。

这首诗的作者说法不同，不必考证，这类情形常有。把台阶上洁白如雪的霜扫尽之后，回到屋里放下帘子，避免见到月光，加重相思的苦恼，却弹起了一种类似竖琴的乐器解闷。古人写这类诗常标题为“古意”，现在看来似乎有些迂腐了。

王维 （701—761）

原籍祁（今属山西），其父迁居蒲州（今山西永济）。开元九年（721）中进士。官至尚书右丞，故又被称为王右丞。晚年半隐居蓝田辋川。前期虽然也写过边塞诗，但主要作品为山水诗，有不少佳作。他兼通音乐书画。

九月九日忆山东兄弟

独在异乡为异客，每逢佳节倍思亲。
遥知兄弟登高处，遍插茱萸少一人。

九月九日是重阳佳节，是日登高避难是古老风俗，以后就是玩赏的佳节了。王维的家在父代迁移到蒲（今山西永济），在华山以东，因此称山东，他当时离家在长安，所以成为异乡的独客。他写这首诗时才十七岁，想家思念兄弟是人之常情，遇到佳节自然也就加重了。“每逢佳节倍思亲”成为家喻户晓的名句，就不是偶然的了。

茱萸是一种香味很浓烈的植物，登高时插在头上，据说可以祛恶避祸。从自己的孤独思家的感情，写到远处兄弟发现少一人而怀念他，就把两处兄弟的深厚情意融成一片，成为朴实而真诚的好诗了。不用空泛的词句，而用和佳节相适应的一件具体事情表达真情实感，是高明的诗的艺术。

鸟鸣涧

人闲桂花落，夜静春山空。
月出惊山鸟，时鸣春涧中。

这是《皇甫岳云溪杂题五首》的第一首。皇甫岳是王维的好友。头二句极写山中寂静，没有外面事物干扰，内心宁静，所以连桂花落下也可以察觉。寂静的夜晚，不易看清周围的东西，所以山显得空，更显得静。月亮突然出来，静中容易被月光所惊，山鸟从山涧中时时鸣叫一声，读者更容易体会春涧幽静的意境了。“鸟鸣山更幽”，用在这里就更为适当了。

鹿柴

空山不见人，但闻人语响。
返景入深林，复照青苔上。

柴（即砦、寨）音寨，意为栅栏。诗中未写鹿，大概已无鹿，只是一个风景点了。第一句写不见人影的空山，当然十分幽静，应该是万籁无声，才算空静了。第二句却写到人语声，似乎有些矛盾，其实这正是诗写得微妙的地方。第三句的“深林”给“不见人”作了委婉的解释，因为他们被林遮蔽住了。人语声一衬，不仅破坏不了幽静，却加深了幽静的气氛。这使我想到王籍的诗句：“鸟鸣山更幽。”

深林总是不见阳光，十分幽暗的，这同首句所写的气氛十分和谐。地面长满青苔，也给人一种凄凉之感。但是落日余晖照到青苔上，色彩就会起魔术般的变化，使人感觉明快。诗人引我们进入微妙变化的诗境，享受生活妙趣。

竹里馆

独坐幽篁里，弹琴复长啸。
深林人不知，明月来相照。

这是取诗人生活的片段成诗的。王维是诗人、画家、音乐家，他的这首诗把我们引入诗画音乐融为一体的境界。苏轼说王维的诗中有画，画中有诗，是很适当的评语。我们可以补充一句：他的诗平淡自然，韵味近似天籁。

篁是竹，下面的林也指竹，这是又幽静，又密植的竹林，不是零散几棵。诗人独坐在竹林中，天空有明月照耀，一时弹琴，一时长啸（即吹口哨），自然吹的是心爱的歌曲。这不是充满画意，又富有音乐美的情景吗？这诗也是诗人的纯净心灵和崇高人格的化身！

这首诗使我联想到李白的《月下独酌》："举杯邀明月，对影成三人。……我歌月徘徊，我舞影零乱。"一静一动，描画出两个不同的诗人形象。常听人说，好诗中要有人在，大概就是这个意思吧。

辛夷坞

木末芙蓉花，山中发红萼。
涧户寂无人，纷纷开且落。

辛夷又名木笔树，花近似芙蓉，所以又称芙蓉花。木末，树杪。辛夷既然近似荷花，自然也是观赏的芳葩，但无人观赏，自开自落，言外有寂寞之感。诗人虽然过着隐居的生活，似乎也并未完全忘却人世。

杂 诗 （三首录一）

君自故乡来，应知故乡事。
来日绮窗前，寒梅著花未？

王维写过三首一组的杂诗，这是第二首。从这组诗整体看来，似乎有位住在孟津河岸的妇女托去江南的人带口信问候在外的丈夫（第一首），第二首是丈夫问他家里的情况，第三首是回答他的。

绮窗是雕花的窗子，只问到绮窗前的梅花是诗人的简练写法，蕴含着许多诗意：问者的生活经验和窗内人的情况都意在言外。这从第三首的答话可以想象到。若问到许多烦琐事物，诗就索然无味了。

相思

红豆生南国，春来发几枝？
愿君多采撷，此物最相思。

传说古代有一女子，丈夫在边地死亡，她哭死树下，化为红豆，因此红豆又被称为相思子。这是一首寄赠南方朋友的诗，首先问到南方生长的红豆春来（有的作“秋来”）发了几枝。三四句希望朋友多多采撷红豆，因为它最能体现相思的情谊，这就委婉含蓄地表达了彼此珍惜友谊的意思。

欹湖

吹箫凌极浦，日暮送夫君。
湖上一回首，青山卷白云。

这可能是一首描写妻子送丈夫的诗。欹同猗（读医），湖名。凌，渡过；浦，水渠；渡过水渠，进入大河。吹箫相送，意似潇洒，末句却写出了寂寞。

山中

荆溪白石出，天寒红叶稀。
山路元无雨，空翠湿人衣。

荆溪源出陕西蓝田县西南秦岭山中，到西安东北入灞水。天寒水浅，白石在水面可见，红叶虽然稀少了，人却并不感到萧索。清水、白石、红叶——几笔就描绘出一幅初冬的美丽画面。再顺着山路前进，虽然天并没有下雨，可是空气是湿润的，周身被青翠的山色包围，自然会有衣服湿了，身体也会有微凉的感觉。这是一种内心的快感，同眼观的美景是和谐一致的。

书事

轻阴阁小雨，深院昼慵开。
坐看苍苔色，欲上人衣来。

小雨停了，变为轻阴天气，虽在白天，也懒得把深院的门打开，表示诗人很喜欢深居简出的幽静生活。雨后苍苔绿得富有生机，仿佛有了跃跃欲动的情态，要扑到人的衣裳上来。这种奇妙的想法和写法，使这首小诗别有一种意境，使人有被大自然拥抱之感。

田园乐　（七首录一）

桃红复含宿雨，柳绿更带朝烟。
花落家童未扫，莺啼山客犹眠。

《田园乐》共有七首六言绝句，这是很少见的绝句体裁，这里选的是第六首，对仗工整，最有田园诗的特色。桃红已经够美，上面还有昨夜的如珠水滴。柳绿已够明媚，还有如纱的晨烟笼罩着。莺啼既未惊醒睡客，家童尚来不及扫去落花。王维能在美景中享受酣睡的清福，才用自己亲身感受写出这样的好诗来。我的年岁比他大多了，却天天被你们叽叽喳喳的背书声吵得迟睡早醒，写不出一首好诗，就不能怪我毫无才华了。

送元二使安西

渭城朝雨浥轻尘，客舍青青柳色新。
劝君更尽一杯酒，西出阳关无故人。

安西在今新疆库车县境内，是很僻远的地方。渭城在陕西省咸阳市东北，在渭水北岸，是诗人送别处。浥是湿的意思，地上薄尘被雨淋湿了。雨后新绿柳色照映着驿站的房屋，景色十分清新；但后两句使我们感觉到，似乎这里笼罩着惜别的轻愁。阳关是古代通往西域的要道，在玉门关之南，安西还在阳关之外，友人前往，自然会时时感到孤独寂寞。“劝君更尽一杯酒”，不仅使前二句所隐含的离恨加深，却也希望友人在孤居独处时回忆起杯酒所含的深情，心头感到温暖。

这首诗也被人称作“渭城曲”，因为它后来被配上音乐作为送行的歌曲。又因为末句反复唱三次，被称为“阳关三叠”。诗的第三句中“更尽”，或作“更进”，这是诗中常有的情形。

李白（701—762）

字太白，号青莲居士。祖籍陇西成纪（今甘肃泰安东），隋末先人流寓碎叶，李白即在此地出世。五岁时随父迁居绵州的彰明县（今四川江油县）青莲乡。二十五岁离蜀，漫游许多地方。天宝初供奉翰林，一年多即被谗，“赐金还乡”。安史乱中，受李璘之累，流放夜郎，中途被赦东归。晚年漂泊困苦，在当涂逝世。诗风豪放，富有浪漫主义色彩。

玉阶怨

玉阶生白露，夜久侵罗袜。
却下水晶帘，玲珑望秋月。

《玉阶怨》属《相和歌·楚调曲》，写“宫怨”的乐曲。诗的头二句写女子伫立在有露水的台阶上，已入深夜，罗袜都被浸湿了。她的幽独寂寞，怨恨情绪之深，不言而喻。三四句写她忍受不了这种孤寂苦闷，进入房中，又解除不了这种苦恼，夜久不寐，还下帘望月，希望得到月的同情，聊以自慰了。

怨情

美人卷珠帘，深坐颦蛾眉。
但见泪痕湿，不知心恨谁。

这首诗是闺怨性质。在封建社会中，女子容易受到委屈，特别是被遗弃。皱着眉毛流泪，恐怕是很普遍的抗争形式。诗人深表同情而无可奈何。

静夜思

床前明月光，疑是地上霜。
举头望明月，低头思故乡。

这首诗容易懂，但别小看它，它有李白诗的一大特色：“清水出芙蓉，天然去雕饰。”芙蓉就是荷花，去雕饰就是不加人工造作，显出天然的美。这首诗就是这样。

杜甫有一句诗：“月是故乡明。”诗人总是很敏感的，月亮可以引起各种情绪，思念故乡是其中一种。诗说“床前”，可以想象是在蒙眬要入睡或初醒的状况中，因此“疑”月光是地上霜。举头一见明月，在低头的一瞬间就激发了乡思，平时的思乡感情之深就意在言外了。这种艺术手法平常称为“白描”，只有炉火纯青的大手笔才会运用自如。

春夜洛城闻笛

谁家玉笛暗飞声，散入春风满洛城。
此夜曲中闻《折柳》，何人不起故国情？

洛城指洛阳。春风吹着不知什么人吹奏的玉笛声音飞遍全城，这表示已经夜阑人静。《折杨柳》是乐府古曲，抒写离愁别恨，一听此曲，怎能不引起乡思？这首诗表现了崇高的热爱故乡的感情，也表现了音乐激发崇高感情的魅力。

黄鹤楼送孟浩然之广陵

故人西辞黄鹤楼，烟花三月下扬州。
孤帆远影碧空尽，唯见长江天际流。

黄鹤楼旧址在武昌长江岸上，有仙人乘鹤从此仙逝而去的传说，又有诗人崔颢作诗吟咏，所以是个有名的胜地。旧楼早已没有了，现已重建了新楼。孟浩然是李白的好友，李白在赠诗中说他“红颜弃轩冕，白首卧松云”，就是不爱做官，而爱山林生活。之广陵就是去扬州。烟花三月就是风景艳丽的暮春。头两句将友人在什么时候从胜地到名城的情景简练地写清楚了。三四两句绘出一幅美丽的画图：一叶扁舟载着友人越走越远，渐渐在远远的碧空里不见了，诗人还在送别处怅望，见到的只是滚滚东流的长江。惜别的深情也就凭着这个图景表现出来了。这首深含友情、充满诗情画意的诗，使两位潇洒诗人的形象栩栩如生地呈现在我们的眼前。

有点小小的经验使我对这首诗感到特别亲切。前几年我游长沙，在橘子洲头看到一叶扁舟在湘江里缓驶，一直看着它在碧空消失，我便低吟李白这首诗，看着准备送别的朋友。

赠汪伦

李白乘舟将欲行，忽闻岸上踏歌声。
桃花潭水深千尺，不及汪伦送我情。

踏歌是手牵着手踏地而唱歌。桃花潭在安徽泾县西南百里，深不可测，李白曾游此地，受到汪伦深情款待。他来送行，使李白惊喜，信手拈来桃花潭，写汪伦的友谊比潭水还深。这个桃花潭选得自然而奇妙，“将”和“忽”两个字也十分传神。直用两人名字，更显得十分亲切。

苏台览古

旧苑荒台杨柳新，菱歌清唱不胜春。
只今唯有西江月，曾照吴王宫里人。

苏台即姑苏台，原为吴王夫差游乐处，故址在今苏州。旧苑荒台是原来的楼台亭阁都荒废倒塌了；但杨柳依然年年发新叶，也还有清唱菱歌的采菱少女，新旧成为鲜明的对比。月亮是照旧存在的，但它曾经照过的吴王和宫女却早已不存在了。

越中览古

越王勾践破吴归，战士还家尽锦衣。
宫女如花满宫殿，只今唯有鹧鸪飞。

在春秋时代，吴越争霸成仇，吴王夫差二年（公元前494年），他打败越王勾践，勾践卧薪尝胆备战，于晋出公二年（公元前473年）灭吴。这首诗写的就是这件史实。前三句都写越王胜后的气派，末句写过去的繁华已经烟消云散，目前在废墟上只能看到鹧鸪飞了。

以上两首诗都写人世盛衰引起的感慨，不过侧重点不相同罢了。

望天门山

天门中断楚江开，碧水东流至此回。
两岸青山相对出，孤帆一片日边来。

天门山是安徽当涂县的东梁山与和县的西梁山的合称，楚江是长江经过楚地的一段，从两山对峙而形成的天门流过，诗说天门是楚江冲开的，就突出了江水的雄伟壮观。第二句写两山对江水的抗击，使江水转向北流，气势就更为雄浑了（“至此回”又作“直北回”或“至北回”）。第三句写两山的静态，就把孤舟顺流急驶，直向天门奔来的形态写得更活了。在这种惊心动魄的情况下，诗人的心情恐同“轻舟已过万重山”时一样畅快。

清平调词　（三首）

一

云想衣裳花想容，春风拂槛露华浓。
若非群玉山头见，会向瑶台月下逢。

二

一枝红艳露凝香，云雨巫山枉断肠。
借问汉宫谁得似？可怜飞燕倚新妆。

三

名花倾国两相欢，长得君王带笑看。

解释春风无限恨，沉香亭北倚阑干。

唐玄宗和杨贵妃在兴庆池东观赏沉香亭前牡丹，诏命李白写了上面三首新乐词。第一首一句写杨妃衣裳似云，容貌如花，二句写春风吹拂，露水湿润，更显得美丽。三四句的群玉山和瑶台都是天堂西王母的居住处，这就是把杨妃比作仙女了。二首一句以色艳香浓的牡丹比喻杨妃，二句云雨巫山用楚襄王与神女在巫山相会的神话，意谓襄王白白断肠，不如面对如花美人。三四句用汉成帝和赵飞燕的故事，以飞燕比杨妃，但前者还靠新妆，后者全凭本色。三首一句名花指牡丹，倾国指美人杨妃，两美并列，相得益彰，二句写君王笑赏二美，三句写君王（春风代指）万恨俱消，末句点出赏花的地方。

望庐山瀑布 （二首录一）

日照香炉生紫烟，遥看瀑布挂前川。
飞流直下三千尺，疑是银河落九天。

香炉峰在庐山西北，形如博山香炉，故名。生紫烟是山峰上的烟云被日光一晒，仿佛是紫色的云霞。头一句就把香炉峰描绘得十分美丽。接着写遥望，而不是近观，这就为四句的“疑”字提出了根据，使得“银河落九天”的浪漫主义奇想显得神秘而又自然了。山峰瀑布的美景活现在我们的眼前，飞流的乐音仿佛也传到我们的耳里了。

独坐敬亭山

众鸟高飞尽，孤云独去闲。
相看两不厌，只有敬亭山。

《望庐山瀑布》写动的物态，《独坐敬亭山》却从静处着笔。鸟都向高处飞去，连一片孤云也飞去了，山里多么幽静！若结合李白的遭遇来读这两句诗，我们不难体会到诗人的孤寂心情。十年前被迫离开长安后，李白长期过着漂泊的生活，多次游宣州（今安徽宣城）。敬亭山在宣城北部，风景秀丽，李白常游。一个孤寂的人到了这么幽静的山区，自然容易陷入玄思冥想，浮想联翩，山幻化为有生命的山灵，变为心灵相通、相看两不厌的知己了。这是崇高的诗的境界，超俗而没有厌世嫉俗的气氛。

山中问答

问余何事栖碧山，笑而不答心自闲。
桃花流水窅然去，别有天地非人间。

碧山一名白兆山，在湖北安陆县境内，李白在那里隐居。窅然即杳然，意思是又深又远。别人不解诗人何以住在碧山，诗人笑而不答，但心里悠然自得，不过答话也就隐含在诗的三四句中了。桃花流水自然引起读者联想到陶渊明的《桃花源记》，并进一步联想到他不为五斗米折腰的故事。李白仕途失意，但觉得悲愤，只是因为不能施展自己为国为民的抱负，并不是贪图禄位。他觉得这里别有天地，心闲意适，因为他的性格像他自己的诗所说：“安能摧眉折腰事权贵，使我不得开心颜！”

自遣

对酒不觉暝，落花盈我衣。
醉起步溪月，鸟还人亦稀。

暝，天黑了。溪月，溪边月下。诗写生活片段，略可见诗人性格。

秋浦歌 （十七首录四）

一

秋浦多白猿，超腾若飞雪。
牵引条上儿，饮弄水中月。

二

渌水净素月，月明白鹭飞。
郎听采菱女，一道夜歌归。

三

炉火照天地，红星乱紫烟。
赧郎明月夜，歌曲动寒川。

四

白发三千丈，缘愁似个长。
不知明镜里，何处得秋霜！

秋浦在今安徽贵池县西，产银和铜，约天宝十二年（753），李白漫游到这里，写了十七首《秋浦歌》，写景物、劳动人民和内心悲愤等。

第一首所写的白猿，我们现在是无福看到的了，要谢谢李白为我们留下一张写生画。白鹭在北京动物园还常见。第三首写的是冶炼工人（赧郎）的劳动场面，是有声有色的美丽画图。炉火红光照亮天地，火星迸射，和炉上烟雾混为一团，这一片红紫的景色十分令人神往。又是月光如水的良夜，冶炼工人高声歌唱，震动山河，读者为劳动者欢唱的心情而感染，觉得这首诗是火光月色中闪闪发亮的明珠。第四首第一句恐怕要引你们惊喜大叫：李白现在还在活着吧，不然头发怎么能那样长？！这种写法确是奇特的夸张，在别人的诗中很少见到。可以与之相比的还有他写的另一句诗："燕山雪花大如席。"（《北风行》）看第二句，原来因为"愁"，才长得这么长，可见这个"愁"不是一般，而是重如泰山的。第三、四句从长引申到色，白如"秋霜"，愁也就加了分量。愁什么呢？政治上一生潦倒，为民报国的雄心壮志是无法实现的了。

越女词 （五首录二）

一

耶溪采莲女，见客棹歌回。
笑入荷花去，佯羞不出来。

二

镜湖水如月，耶溪女如雪。
新妆荡新波，光景两奇绝。

耶溪即若耶溪，与镜湖都在绍兴境内。棹歌是摇船时唱的歌。两诗清丽，写水上采莲、采菱的少女。

浣纱石上女

玉面耶溪女，青蛾红粉妆。
一双金齿屐，两足白如霜。

这首诗像是一张水彩画。正虹、正霞，你们都喜欢画古装妇女像，照这首诗画一张水彩画我们看看，好吗？

渌水曲

渌水明秋月，南湖采白苹。
荷花娇欲语，愁杀荡舟人。

“渌水曲”是乐府琴曲歌辞的题名。白苹是水生植物，开白色小花。三四句写荷花颜色娇艳，仿佛是要说话的美人，荡舟人同她一比，很发愁比不上她。这也可以画一张水彩画，不过不能画成愁眉苦脸，只画出“美人……颦蛾眉”的神气就可以了。

早发白帝城

朝辞白帝彩云间，千里江陵一日还。
两岸猿声啼不住，轻舟已过万重山。

你们自己读过了《李白传》，该还记得安禄山造反，唐玄宗逃走了；永王璘被疑为叛乱，牵连到李白，要流放他到夜郎，但他到达白帝城时，却又被赦，使他又惊又喜，赶紧从那里经三峡出川。

白帝城在四川奉节县白帝山上，说它在彩云间，既写出它的美丽，也为诗的欢快情调增色。江陵是今湖北省江陵县，据《水经注》说，离白帝城有一千二百里，“王命急宣”（急于传达国王的命令），“有时朝发白帝，暮宿江陵”。第二句和第四句互相呼应，诗的情调就更显得欢快了。两岸猿声和首句彩云使全诗有声有色、读者如见其色，如闻其声，诗人的欢快心情，也就不难心领神会了。

以前不少学者认为，四类猿中只有在云南和海岛林区有，李白听到的不是猿，而是猴鸣。去年在四川发现一块长臂猿左侧下颌骨化石，证明四千年前，在长江三峡一带确实有过长臂猿的活动，李白所听到的是猿鸣。不过猿鸣也罢，猴鸣也罢，因为三峡久无林木，我们是无福听到了。李白的诗句仿佛为我们保留了一曲佚亡的古乐，这一点也就是很值得感谢的了。

陪族叔刑部侍郎晔及中书贾舍人至游洞庭（五首录一）

南湖秋水夜无烟，耐可乘流直上天。
且就洞庭赊月色，将船买酒白云边。

刑部侍郎和中书舍人都是官职，唐时有用官衔称人的习惯，现代也未全改。李晔贬官到岭南，路过岳州（今岳阳），同李白相遇，贾至这时也谪居岳州，三人因此同游洞庭湖。洞庭又称南湖，因在岳州西南。首句写水上无烟，实际就是月光普照，这样可以同三句月色不重复。月色湖光引起诗人的异想：怎样能够顺流直到天上去呢？这自然是无法实现的。退一步设想也是很奇特的，洞庭有湘妃的传说，从天上转想到她们似乎也很自然，那就向她们“赊”月色吧。这个字同下句“买”字对照，很有幽默感，从白云边，也就是水连天处买酒，天上人间也就近在咫尺了。这就是诗引我们进入的境界。

夜下征虏亭

船下广陵去，月明征虏亭。
山花如绣颊，江火似流萤。

征虏亭是在东晋时建，在金陵一座临江的山上。上元二年（761），李白从这里上船，到广陵（今扬州）去游玩，像诗的首句所说。月光照耀着征虏亭，可以看到有花饰的少女面颊一般的山，又可以看到江上渔火好像流萤。

高适 （704？—765）

沧州渤海蓨（今河北景县）人。他为哥舒翰掌书记，了解边塞生活，所写边塞诗与岑参齐名。

塞上听吹笛

雪净胡天牧马还，月明羌笛戍楼间。
借问梅花何处落，风吹一夜满关山。

诗的头两句就写出了边塞生活的特色：雪后胡天明净，牧马归还，月夜戍楼（防御工事）吹起羌笛。羌笛所吹的是《梅花落》，诗人巧妙地活用了这个曲名，设问梅花落到何处，末句写梅花被一夜风吹，落遍关山。梅花是边塞所无的江南花卉，这里似乎含蓄地表达了征人的乡思。

别董大

千里黄云白日曛，北风吹雁雪纷纷。
莫愁前路无知己，天下谁人不识君？

董大名董庭兰，善弹琴知名。诗的头二句写的是边塞风光：黄云千里，把太阳遮蔽得昏昏暗暗，北风吹着雁群在纷纷飘落的大雪中飞翔。这种情景在离别时本来容易引起凄凉悲戚之感，诗人在写本诗时，叹息“今日相逢无酒钱”。彼此的生活都很潦倒，但他不发悲叹，而以到处可逢知己劝慰鼓舞友人，使此诗在赠别诗中别具一种风格。

听张立本女吟

危冠广袖楚宫妆，独步闲庭逐夜凉。
自把玉钗敲砌竹，清歌一曲月如霜。

张立本事迹不详，一说他是唐代一个管草场的官员。危冠是高帽，广袖是宽大的袖，楚宫妆是腰部窄狭的南方女妆。这句写少女的服装雅素。二句写她在庭院独自散步乘凉，闲适孤寂。三四句写她对月吟诗，还用玉钗敲打台阶前的竹子作吟诗的拍节。全诗有声有色，使我们见到一位富有诗情画意的少女形象。

除夜作

旅馆寒灯独不眠，客心何事转凄然？
故乡今夜思千里，霜鬓明朝又一年。

除夜就是除夕，一年最后一晚，一般是家人团聚的时节。诗人在客店里独守寒灯，夜深不眠，有什么心事这样凄然呢？原来因为这时故乡亲人要思念千里以外的自己，而自己明天又要增加一岁了。从自己想家而想到家人也在思念自己，将两地的情怀都写得自然而真挚。

崔颢 （704？—754）

汴州（今河南开封）人。他所写的诗只有四十多首，早年诗多写上层阶级生活，但也有讽刺。后有边塞生活经验，也写过边塞诗。他所写的《黄鹤楼》很被李白赞赏。《长干行》属乐府《杂曲歌辞》，是六朝时金陵（今南京）长干里一带流行的民歌体，清新淳朴。

长干曲 （四首录三）

一

君家何处住？妾住在横塘。
停船暂借问，或恐是同乡。

二

家临九江水，来去九江侧。
同是九江人，生小不相识。

三

下渚多风浪，莲舟渐觉稀。
那能不相待，独自逆潮归？

第一首的横塘是地名，在今南京西南，离长干里很近。这首诗写一女子问在长江中相遇的男子家住何处，并说自己家在横塘，与他或是同乡。爱慕之情意在言外，含蓄而情深。

第二首的九江泛指长江水，不是现今江西的地名。这首诗是男子的答话，“生小不相识”，有相见恨晚的意味，也是很有感情内涵的。

第三首写互相关怀、互相帮助的情谊。

储光羲 （707—760）

兖州（在今山东）人。安禄山陷长安时，曾任伪职，乱平以后，贬至岭南死。诗多写田园生活。

江南曲 （四首录一）

日暮长江里，相邀归渡头。
落花如有意，来去逐轻舟。

在江南水乡，青年男女常在水上从事采莲、采菱、捕鱼等劳动，从相识到互相爱慕是常有的情形。这首诗写青年男女相爱而还未能畅吐情怀时的微妙复杂心理。第二句写相约到渡口会面同归。末二句以落花似有意逐轻舟来去来形容这种心理状态。虚实结合的艺术手法是值得注意的。

刘长卿 （709—786？）

河间（今河北省河间县）人，擅长山水诗，文字精炼，富有画意。

逢雪宿芙蓉山主人

日暮苍山远，天寒白屋贫。
柴门闻犬吠，风雪夜归人。

天色晚了，山路还很遥远，旅客要投宿的心情和路途的疲劳是读者可以想象的，略而不写，第二句便写到了贫苦人家的茅屋。十个字绘出一幅凄清的图景，人也就在图中隐约可见了。犬吠和主人在风雪中归来，不着一语，读者就可以想象到他的一天劳苦生活和诗人对他的情谊了。

送灵澈上人

苍苍竹林寺，杳杳钟声晚。
荷笠戴夕阳，青山独归远。

灵澈是中唐时期著名诗僧，俗名汤源澄，会稽人。他出家的地方是会稽云门寺，游方住在润州（今江苏镇江），诗人送别他回寺写了这首诗。上人是对僧的尊敬称呼。

苍苍形容寺的周围树木繁茂，在青山上，傍晚钟声可闻，表示环境极为幽静。夕阳下荷笠独归，诗人目送他渐渐远去，高僧的飘逸形象和送别诗人的心情容貌，同幽雅的环境组合成一幅和谐优美的画图。

寻张逸人山居

危石才通鸟道，空山更有人家。
桃源定在深处，涧水浮来落花。

逸人，隐居的人。桃（花）源是想象中的世外乐土，因晋陶潜《桃花源记》一文而脍炙人口。这里看到涧水漂浮来的落花，而引起了桃源定在深而不远处的联想。

杜甫 （712—770）

原籍湖北襄阳，后迁居河南巩县，是杜审言的孙子。举进士不第后，曾到多地漫游，既观览了祖国名山大川，也接近了人民群众，对他的写作都有影响。安禄山陷长安时，他逃到凤翔，肃宗任命他为左拾遗。后又移家成都，在浣花溪上建筑草堂。严武对他颇多照顾，表为检校工部员外郎，因此杜甫常被称为“杜工部”。晚年携家出蜀，在途中病故。

绝句 （二首）

一

迟日江山丽，春风花草香。
泥融飞燕子，沙暖睡鸳鸯。

二

江碧鸟逾白，山青花欲燃。

今春看又过，何日是归年。

第一首：“迟日”就是春日的意思，首句写在春日阳光照耀之下，江山显得美丽。第二句写春风吹拂花草，散发芳香，更使人觉得“江山如此多娇”了。三四句写暖日使泥土融化，正适合燕子筑巢的需要，它们飞来飞去，是动态的美。日晒沙暖，鸳鸯在沙上安睡，是静态的美。诗人在这幅画图中所表现的欢快心情，自然微妙地感染读者，用不着多着一字了。

第二首首句写白羽毛的鸟飞过江面，与碧色江水一对衬，羽毛显得更白了。青色山上的红花对衬起来，花色更浓艳，仿佛像火要燃烧起来了。末二句写时光易逝，春天眼看就要过去，但不知道何年何日才能回乡。这首诗是杜甫避乱入蜀后所写，既表现了乡愁，也蕴蓄着忧国的情绪。

漫兴　（九首录四）

一

眼见客愁愁不醒，无赖春色到江亭。
即遣花开深造次，便教莺语太丁宁。

二

手种桃李非无主，野老墙低还是家。
恰似春风相欺得，夜来吹折几枝花。

三

肠断江春欲尽头，杖藜徐步立芳洲。
颠狂柳絮随风舞，轻薄桃花逐水流。

四

糁径杨花铺白毡，点溪荷叶叠青钱。
笋根雉子无人见，沙上凫雏傍母眠。

杜甫在成都草堂定居后，生活比较安宁，环境也很幽美；但乡愁国难，使他的心情不能宁静。第一首写心头充满愁绪，便觉得春色“无赖”而讨人嫌恶，花开“造次”而使人心烦，莺语“丁宁”而使人厌听了。这并不违反人情，颠倒常理，反而是极合乎人的心理规律的。人的主观感受往往给相同的环境着上不同的颜色。良辰美景引起愁思，是人人都会有的经验。

第二首诗的戏谑口气很有情趣，好像春风有意相欺，把花吹断了几枝。“得”是语助词，没有什么意义。

第三首：扶着手杖在江边缓缓散步，本来是一件赏心乐事，但诗人心情不佳，所以嫌柳絮颠狂，桃花轻薄。

第四首诗所表现的心情同前几首诗就不一样了。诗的总题是“漫兴”，就是随手写下来偶然的兴致，好处是自然而无矫饰，可见诗人的真情实感。这首诗的头两句写柳絮把小径铺上白毡，是温顺而不是颠狂了。第二句写荷叶像一叠叠的青钱点缀溪水。青白对衬，景色多么美呀！但这些都是静止的，下两句写雉子凫雏，虽然隐约静卧，却表现出无限生机。全诗虽一句一景，却互相有机地联系，构成一幅初夏的美景。诗人的愁似已烟消云散，读者也为之一快。

江畔独步寻花　（七首录二）

一

黄师塔前江水东，春光懒困倚微风。
桃花一簇开无主，可爱深红爱浅红？

二

黄四娘家花满蹊，千朵万朵压枝低。
留连戏蝶时时舞，自在娇莺恰恰啼。

师尊称和尚，塔是僧墓，这句写散步地点。二句写春光使人感到困倦，让微风吹拂略事休息。三四句写一簇野生的桃花怒放，不知深红还是浅红更为可爱。

黄四娘大概是杜甫的邻居。蹊是小路，花不仅遮盖了小路，把花枝也压低了。蝴蝶在花丛中飞舞，留连不去，黄莺自自在在地歌唱，啼声使人乐听。“恰恰”也可作拟声解释。

绝句　（四首录一）

两个黄鹂鸣翠柳，一行白鹭上青天。
窗含西岭千秋雪，门泊东吴万里船。

这首诗写了四种颜色：黄、翠、白、青，地上天空构成和谐美丽的图景；两种鸟一歌一飞，使图景充满了活泼生机。千秋雪表示时间的悠久，万里船表示空间的广阔。乱后诗人的内心是欢快的，但他更为关怀的是身外的一切。

杜甫短期居住在成都的草堂，可以看到西岭（即西山，又名雪岭）上千年不化的积雪。草堂离合江的万里桥不远，所以从那里可以看到成都同江苏地带来往而常在水上停泊的船只。

除黄鹂外，杜甫绝句中提到的鸟你们都见过。在我的故乡可以常见到黄鹂，我父亲写春联时，喜欢写“两个黄鹂鸣翠柳，一行白鹭上青天”，是我童年的愉快回忆。我1946年回乡，又见到“两个黄鹂鸣翠柳”的实景，诗与生活就水乳交融了。希望你们读好诗要好好品味消化，起到丰富并美化情操的作用。

杜甫的绝句喜用对偶的联句，这也是他的一个特色。

漫成一绝

江月去人只数尺，风灯照夜欲三更。
沙头宿鹭联拳静，船尾跳鱼拨剌鸣。

“漫成”同“口占”相似，都表示一时有了诗兴，随手写成或随口吟成。诗写夜泊景物，富有生活情趣，自然而毫无雕饰。江月是江水中映出的月影，所以离人只有几尺远。月光下水天一色。风灯是船桅上挂的灯，有罩避风，所以称风灯。天近三更，时近夜半了，诗人还未入睡。因为是月夜，所以可以看到白鹭在沙上屈身安眠；因为夜静，所以听到船尾鱼跳的拨剌声。

从许多首绝句都可以看出：杜甫是很爱自然景色的，观察十分细致，写过多种鸟，姿态不同，各有特色。许多细小生活断片，经他一写，就很有情趣了。当然，他的最重要的作品还是被称为“诗史”的那些篇。

赠花卿

锦城丝管日纷纷，半入江风半入云。
此曲只应天上有，人间能得几回闻。

花卿，即花敬定，卿是对男子的客气称呼。花因平叛有功，不仅放纵部下抢掠人民，自己也过着骄奢淫逸的生活，无视安史乱后人民的疾苦。

锦城即今成都，丝管指弦乐器和管乐器，日纷纷是每日乐声不断。第二句写乐声传播得又远又高，极言其盛。三四句可以认为是称赞音乐之美，是人间难得听到的仙乐。但认为有婉讽的意思，也不能说是牵强附会，因为在封建时代，对乐的演奏是有严格规定的。“人间”与“天上”（民间和朝廷）不分，就是大逆不道了。

江南逢李龟年

岐王宅里寻常见，崔九堂前几度闻。
正是江南好风景，落花时节又逢君。

李龟年是开元时期著名的歌唱家，岐王是唐玄宗的弟弟李范，崔九是当时殿中太监崔涤，是唐朝盛世的皇亲贵族。杜甫那时年岁虽轻，已经知名，所以能常在帝京（即长安）达官贵宅中见到李龟年并听他唱歌。安史之乱使唐朝由盛而衰，诗人和歌唱家分散漂泊，贫困不堪，四十年后竟在江南无意重逢，这时江南风景虽佳，却到落花时节了。

这首诗表面上只写久别重逢，但世事沧桑，个人遭遇的感慨悲伤之情，却极为含蓄地深刻表达出来了。

三绝句　（录二）

一

二十一家同入蜀，惟残一人出骆谷。
自说二女啮臂时，回头却向秦云哭。

二

殿前兵马虽骁雄，纵暴却与羌浑同。
闻道杀人汉水上，妇女多在官军中。

入蜀是避羌、浑（党项羌、吐谷浑）当时入侵之乱。惟残，只剩下。骆谷关是入蜀要道，出骆谷即可以安全入蜀。二女啮臂，诀别时咬臂出血，并非弃之，实难两全也。

殿前兵马指的是宦官鱼朝恩（722—770）统率的禁军，保护皇帝的军队。他们虽然勇敢善战，可是残暴同入侵的羌、浑差不多。他们在长江支流汉水上游地带不仅杀人，还把妇女掳到军中。二诗写的是异族入侵和兵灾带给人民的苦难，可以说是诗史的缩影。

景云（生卒年代不详）

与岑参同时，是盛唐一位诗僧，善草书。

画松

画松一似真松树，且待寻思记得无？
曾在天台山上见，石桥南畔第三株。

这首诗将欣赏绘画时的诗意感受写得生动入神，初见画松仿佛似曾相识，十分惊讶。经过沉思回忆，记起在天台山石桥南边第三株松就是画中松树临摹的原物。画家的画能这样感动观者，当然不仅在于形似，观者能这样心领神会，也有生活经验做基础。

岑参 （715—770）

唐代南阳（今河南南阳）人，虽然祖父、伯父、父亲都任过高官，父亲死后，家道衰落，生活清贫。他曾两次出塞，很熟悉边疆生活，所写边塞诗，同高适齐名。

西过渭州见渭水思秦川

渭水东流去，何时到雍州？
凭添两行泪，寄向故园流。

渭水即渭河，从甘肃经陕西流入黄河。秦川在今陕西。雍州为古代九州之一，包括陕西。渭水东流可到故园，但自己却身在异乡，无法随去。只好向河水流泪，聊寄乡思了。

逢入京使

故园东望路漫漫，双袖龙钟泪不干。
马上相逢无纸笔，凭君传语报平安。

岑参在天宝八年（749）离开长安，去安西任职。途中向东回顾长安的家，已经是很远很远的了。这时遇到一个去长安述职的人，引起离家远行的悲感，流泪把双袖都弄湿了，龙钟就是泪淋淋的样子。想给家里写信，路上又没有纸笔，只好托他带口信向家人报告平安。这本是一件平平常常的事，但又出乎意外，引起惊讶而又悲喜交织的复杂情绪，不加雕琢，信手写来，十分亲切动人。

我年幼比正辉只大一岁时，到两百多里外上阜阳第三师范学校，有点想家，父母自然也思念我。每有便人，父亲总托他带一封信，封后总写上“凭君传语报平安”。那时我不甚明白父亲的用意，但写上那句诗的信封，我至今还记得清清楚楚。现在我很了解父亲的心情：希望把写不尽的意思，请带信人加以补充。我深信他深深体会到这句诗的内涵了。

碛中作

走马西来欲到天，辞家见月两回圆。
今夜未知何处宿，平沙万里绝人烟。

碛，沙漠。欲到天，似乎要到天上了，这是因为西北高原越向西去越高，在广阔的沙漠中骑马向上走，天就显得低了，人仿佛在上天。这种景象是很壮观的。第二句写离家后已经见到两次月圆，思家的情绪意在言外。三四句写沙漠万里，人烟断绝，还不知在何处住宿呢。

玉关寄长安李主簿

东去长安万里馀，故人何惜一行书？
玉关西望肠堪断，况复明朝是岁除！

玉关，玉门关。主簿是掌文书的官员，不知其名。诗写时已是除夕前夜，诗人更思家念友。古典诗歌要协韵，而有字古今读音不同，读今音往往不协，所以在这里顺便说一下，不必深究。“馀”古音读“吴”，同“书”“除”两字就协韵了。“馀”如读“鱼”，“书”就读“虚”，“除”就读“区”，也可以协韵。为声音美，诗人总力求协韵，我们读今音而觉得不协韵，是音变的关系，并不是诗人疏忽。

山房春事

梁园日暮乱飞鸦，极目萧条三两家。
庭树不知人去尽，春来还发旧时花。

梁园是西汉梁孝王刘武所建，又名兔园，原在今河南商丘东。园的面积广阔，有楼台亭阁，种的有奇花异木，养的有珍禽异兽。诗人到这里凭吊遗址，写了这首诗，表达人世沧桑的感慨。他不用抽象的慨叹语言，而写了两种不同景物，一加对比，感染人的诗情就深深激动读者的心了。日暮飞鸦是最足以引人伤感的，只剩二三人家，荒凉萧条的情况就充分表达出来了。三四句一转写庭树还开旧日的花，又在春光明媚的时节，凄凉之感不是减轻，而是加重了，因为这些更引人在想象中复现以前的繁荣景象。

春梦

洞房昨夜春风起，遥忆美人湘江水。
枕上片时春梦中，行尽江南数千里。

常常思念的人入梦，是人所常有的经验，所以这首诗读起来使人感到特别亲切。经验不同，也使人对诗的理解有异。夜间洞房独眠，春风使人知道季节已经转换，情随境迁，思念远在湘水之滨的美人更为殷切，也是很自然的，梦中片时走完几千里地，到了湘水之滨，同美人相会，也就很不突然了。

美人一词在古汉语中意义比现代广泛，既可指色美的女人，也可指德高的男人，这首诗中所指的是女是男并不明确，怎样理解都可以。

裴迪（716—？）

关中（今属陕西）人。与王维友善，居终南山，与王唱和，写辋川别墅风景，但诗不如王。天宝后任蜀州刺史，与杜甫、李颀过从甚密。

华子冈

落日松风起，还家草露晞。
云光侵履迹，山翠拂人衣。

华子冈是辋川别墅风景点之一。诗写还家时所见景物和感受。首句写夕阳照映，松林风起；二句写草上露水已经干了。云光是夕阳余晖从云中射出，照到鞋痕。末句写山的翠色触到衣服。“侵”“拂”两个动词使两句诗极为生动。“云光”“山翠”也富有色彩美。全诗写诗人在如画的山林美景中的留恋情绪。

崔九欲往南山马上口号与别

归山深浅去，须尽丘壑美。
莫学武陵人，暂游桃源里。

南山，终南山。崔九是曾任唐玄宗秘书监的崔涤。诗人劝他游山要尽兴，把山的深处浅处、高处低处的美都完全加以欣赏。不要像《桃花源记》中的武陵渔夫那样，在桃花源里一逛就算了。

贾至 （718—772）

洛阳人。他同李白、杜甫都有交往，并有诗唱和。

初至巴陵与李十二白裴九同泛洞庭湖（三首录一）

枫岸纷纷落叶多，洞庭秋水晚来波。
乘兴轻舟无近远，白云明月吊湘娥。

唐巴陵郡包括洞庭湖所在地岳阳，贾至贬为当地司马，是辅助刺史的小官员。诗的头两句描写洞庭晚秋景色，枫叶和秋水相映，显得十分明媚。三句写一任轻舟远近漂流，游人显得多么自由洒脱，游兴欢畅。洞庭自然容易引起关于舜的二妃娥皇女英的传说联想，白云明月既象征凭吊者纯洁情操，也象征二妃的忠贞爱情。

春思 （二首录一）

草色青青柳色黄，桃花历乱李花香。
东风不为吹愁去，春日偏能惹恨长。

柳色鹅黄，芳草青青，桃李怒放，散发芬芳，多么令人悦目赏心的春光！但是诗的三四句猛然一转，诗人既怨春风不能将愁吹去，更嫌春日使恨延长！这只能从诗人的生活情况和内心情绪寻找原因了。诗人这时被贬官任岳州司马，无事可干的小官，才能无由施展，愁恨便不是春光所能排除的了。

张谓（生卒年代不详）

河内（今河南沁阳县）人。天宝二年（743）中进士。大历间官至礼部侍郎。

早梅

一树寒梅白玉条，迥临村路傍溪桥。
不知近水花先发，疑是经冬雪未消。

白玉条写寒梅色白如玉。迥临，远远地靠着。傍，临近。色白，远处易见而不易识别，傍桥知树近水，是花早发的原因，因为不知，所以疑梅是雪。诗人的思想感情过程，梅花在春寒中怒放的姿态，都生动地写出来了。

元结 （719—772）

河南鲁山（一作武昌）人。安史乱时，曾组织义军，保全了十五座城市。在动乱时期也为人民做过些好事。

欸乃曲 （五首录一）

湘江二月春水平，满月和风宜夜行。
唱桡欲过平阳戍，守吏相呼问姓名。

“欸乃（读矮奶）曲”，是摇橹时船夫所唱的号子。元结任道州（今湖南道县西）刺史，因公去长沙，回程湘江水涨，并为逆流而上，所以写了五首《欸乃曲》，让船夫歌唱，有助兴之意。一二句写满月和风，乘船在春水上夜行，船夫又唱着号子，本来是件赏心乐事。三句“唱桡”，即唱摇橹的歌。平阳在衡阳以南，戍是有兵防守的关口，守吏问船上人姓名，一个细节点出这时已经不是太平盛世了。

钱起 （722—780）

吴兴（今浙江湖州一带）人，与王维有诗唱和。

归雁

潇湘何事等闲回？水碧山明两岸苔。
二十五弦弹夜月，不胜清怨却飞来。

雁是候鸟，冬天南飞，春暖北归。潇湘是湘水，是雁栖息的地方，水碧山青，两岸又长满青苔，自然也有花草，风景是很美的。诗人向归雁发问，在这样一个美好地方，为什么要随便飞回北方呢？三四句是归雁的答语，涉及湘妃鼓瑟的神话。二十五弦是古乐器瑟。舜的二妃娥皇、女英在舜死后，悲伤投湘水溺死，成为湘水之神，常在月夜鼓瑟以抒怀舜哀思，归雁听了难忍清愁，所以飞回了。诗所表现的有诗人的乡愁，想象是很奇特的。钱起是浙江人，一直在北方做官，借不解归雁何以弃南飞北，委婉表达了思乡情怀。

有人称赞他诗格新奇，这首诗可做印证。

暮春归故山草堂

谷口春残黄鸟稀，辛夷花尽杏花飞。
始怜幽竹山窗下，不改清阴待我归。

谷口是故山草堂所在地，归时已是暮春，黄莺已少，较杏花开放早的辛夷（木兰树花）已谢尽，杏花也纷纷飘落，景色略显凄清。因而更爱窗下的幽竹，不像两花谢落，却仍然一片清阴，待我归来。诗人由怜爱幽竹而想象竹亦多情，加以赞美。像松一样，竹在古典诗中也常被诗人赞颂，具有高雅贞洁的品格。

蓝田溪杂咏 （二十二首录二）

一 戏鸥

乍依菱蔓聚，尽向芦花灭。
更喜好风来，数片翻晴雪。

二 衔鱼翠鸟

有意莲叶间，瞥然下高树。
擘波得潜鱼，一点翠光去。

第一首首句写海鸥有时聚在菱角秧附近，二句写它们有时藏在芦苇深处。刮起风来，更为高兴，便飞舞起来，海鸥白色，好像是晴天飘雪。三种形态有动有静，这不是很富诗意的图画吗？天津离海很近，可惜海鸥很少飞进市区。海面上海鸥飞舞，恐怕只有正辉去大连时看过吧。

第二首的翠鸟，在我的故乡常见，我很喜欢它，因此也很喜欢这首诗。诗写它注意荷叶中间，突然从高树上飞下来，辟开波浪，得到下面潜藏的鱼，鸟身像一点翠色的光，一闪便不见了。写得多活，我们不禁惊喜叫好。

张继 （？—约 780）

邓州南阳（今河南邓县、南阳一带）人，一说他是湖北襄阳人，他的诗中有十九首绝句，其中两首传是他人所作。

枫桥夜泊

月落乌啼霜满天，江枫渔火对愁眠。
姑苏城外寒山寺，夜半钟声到客船。

枫桥原名封桥，因张继诗而改名，在今苏州枫桥镇。夜间船停，泊在那里，诗人即兴写了这首诗。这时月落乌啼，霜寒袭人，能看到的只是江岸枫树，水上渔船的灯火，不免引起不眠的旅人的愁思。姑苏就是苏州。寺是南朝梁时建的古刹，传说诗僧寒山住过这里，因此得名，寺在枫桥镇。佛寺夜半鸣钟是唐代常事，别人诗中也有记载，欧阳修指责这句诗失实，是错的。不眠的旅客独卧在冷清清水面的船上，旅愁是不难想象的，时已午夜，突然听到古刹钟声，一定会浮想联翩。想些什么，诗人没有写，但内涵无限丰富，韵味无穷。这首诗被人广为传诵，近年来有很多日本旅客到苏州旅游，就为除夕听寒山寺的半夜钟声。听到钟声联想如何，那就要看各人的生活经验了。

“夜半钟声到客船”使我想起一点往事，就当故事给你们讲讲吧。1944年3月到1946年3月，我在白沙女子师范学院教书，给学生课外讲一次《试谈人生》，讲到吉辛在《四季随笔》中引约翰生的话说，在读过书和没读过书的人之间同死人与活人之间，有同样大的差别。作为例证，他说蝙蝠和猫头鹰在不读书的人心中，只是引起迷信的恐怖或憎恶；但它们进入了诗人的世界，在读过这些诗的人心中，引起的却是富有诗情画意的联想。这话引我想起韩愈的诗句：“黄昏到寺蝙蝠飞”，辛弃疾的词句：“绕床饥鼠，蝙蝠翻灯舞”，我便觉得吉辛的话是他亲身的体会。吉辛又说，一次中夜醒来听到钟声，立刻联想到莎士比亚的《亨利四世》，剧中有个人物说过：“我们听到了半夜的钟声。”他的感触一定是愉快的、富有诗意的。我问学生：你们读过“夜半钟声到客船”后，如果听到半夜的钟声，不会感到喜悦吗？我现在问问你们：读过这首诗后，想不想到苏州坐在船上，听听寒山寺“夜半钟声到客船”呢？愿去？那我们就不算白读这首绝句了。因为好诗可以使我们的感官锐敏，是一把打开我们心灵的金钥匙，使我们对人间一切真善美的东西可以心领神会，并用这一切作为鼓舞我们的源泉和力量，向人生的最广处探索，向人生的最深处追求，向人生的最高境界攀登！

阊门即事

耕夫召募逐楼船，春草青青万顷田。
试上吴门窥郡郭，清明几处有新烟？

阊门，苏州城的西门。即事，就目前所见的事而写的诗。这里的事，指唐肃宗疑李铣、刘展二人靠不住，先杀了李；还密谋杀刘，刘反攻陷了江淮十多个州的地方，平乱的官兵到处肆虐；人民遭到灾难，苏州灾后几绝人烟。张继的诗就写的是他所见的情况。耕夫（农民）被征去驾驶楼船（大兵船），无人耕地，百顷田都只长青草。吴门，苏州的城门。郡郭，郊区。寒食节在清明前二日，要禁火；所以清明后要重新生火，可是能见到几处炊烟呢？

皇甫冉 （716？—770）

润州丹阳（今江苏丹阳县）人，十岁就能写文章，张九龄认为小友，可见对他很器重。

送郑二之茅山

水流绝涧终日，草长深山暮云。
犬吠鸡鸣几处，条桑种杏何人。

郑二不知何名。之茅山，到茅山去。茅山在江苏西南部，这首诗所写的就是那里的田园风景。“条桑”，意为挑取桑叶，即采桑。“种杏”，用了一个典故，《神仙传》载：“董奉居庐山，为人治病辄愈，重者种杏五株，轻者一株。”此句意在劝勉友人到茅山后养蚕并为人治病。

问李二司直所居云山

门外水流何处？天边树绕谁家？
山色东西多少？朝朝几度云遮？

这首诗所提的问题，实际上就是对云山景色的描写，读起来仿佛是对熟朋友的思念和问候。

严武 （726—765）

华州华阴（今陕西华阴市附近）人，曾两任剑南节度使。同杜甫关系很好，对诗人颇为关心，是值得纪念的。他破吐蕃有武功，吐蕃攻陷过西安，还常进犯西蜀地区。严武击败过吐蕃七万军队，收复失地，但颇为骄矜，他母亲很怕他闯祸。

军城早秋

昨夜秋风入汉关，朔云边月满西山。
更催飞将追骄虏，莫遣沙场匹马还。

汉关是指汉军把守的关塞。秋风已起，北边疆界上的寒云冷月笼罩着西山（大雪山），这是吐蕃军容易进犯的时候，要准备迎击，是前二句的含意。飞将是汉代征匈奴的“飞将军”李广，这里借指对吐蕃作战的勇将；骄虏指强悍的吐蕃军队。末二句写战争即将胜利结束，要穷追全歼敌军。这首诗写出了一位警惕性高、指挥如定、勇而不骄的大将风度。

金昌绪 （生卒年代不详）

只知他是临安（在今浙江省）人，诗也只有一首。

春怨

打起黄莺儿，莫教枝上啼。
啼时惊妾梦，不得到辽西。

黄莺就是黄鹂，是人人喜听的歌鸟。为什么要打跑它，不让它在树枝上歌唱呢？原来是少妇，即诗中习惯自称为妾的人，怨它惊醒自己的梦，不能在梦中一见她日夜思念、远戍边塞辽河以西的丈夫。少妇思念征夫的痴情，另用文字描写，就是画蛇添足了，打是为了不让它啼，不让它啼是为怕惊梦，梦是想到辽西一见征夫，四句四层，诗显得委婉自然，曲折有致，引起读者无限同情。

刘方平 （约公元742年前后）

河南洛阳人，终身隐居，同元结、皇甫冉等诗人有交往。诗以绝句见长。

夜月

更深月色半人家，北斗阑干南斗斜。
今夜偏知春气暖，虫声新透绿窗纱。

诗人也是善画的，这首诗头二句就画出了很美的初春夜景，使读者从视觉得到美的享受，夜已深了，月光偏照半个庭院，另一半庭院只隐隐约约，多少有些神秘气氛。北斗七星，雅名大熊星座，俗名勺子星。因为形像汤勺，你们是常看到的，也读过“北斗七星高，哥舒夜带刀”的诗句。南斗六星，雅名人马星座，俗名未听老人说过，不知道。阑干和斜同样意思，都是倾斜，表示夜确已很深了，仰天一望，读者的胸怀也就开阔了。在这样幽静的夜里，凭视觉已经可以感到春意。三四句写虫声透过绿纱窗，春气暖的感觉就使读者身心都为之舒畅了。

春怨

纱窗日落渐黄昏，金屋无人见泪痕。
寂寞空庭春欲晚，梨花满地不开门。

先给你们说说关于金屋的小故事吧。汉武帝有个表妹，小名叫阿娇，武帝小时有人问他愿不愿意娶阿娇为妻，他答："若得阿娇，当作金屋贮之。"后来他立阿娇为皇后，但是又弃了她。从这个典故，知诗中所写当是一个宫女。黄昏时独坐屋内，从纱窗可以看到夕阳，但她哭了很长时候，脸上留下泪痕，却无人看到。屋内无人做伴已够孤独，庭院又空空如也更显得寂寞。天近黄昏，时近春晚，梨花满地所象征的是日渐消逝的青春，是对自己命运的悲伤，也是对封建王朝统治者的控诉。

司空曙（720？—794？）

广平（今河北永年县附近）人，是大历十才子之一。

江村即事

钓罢归来不系船，江村月落正堪眠。
纵然一夜风吹去，只在芦花浅水边。

一个钓鱼的人在月落时回来，疲劳得很想睡觉，连船都不系了；而心情却是舒畅愉快的，从第三四句可以看出。动作只写垂钓，写景只淡描微风残月、浅水芦花，十分朴素淡泊。但这淡妆的幽静农村生活，多么令人向往呵！这同“红杏枝头春意闹”是完全不同的意境，但苏轼说：“欲把西湖比西子，淡妆浓抹总相宜”，似乎对品评这两种不同的意境时也适用。

留卢秦卿

知有前期在，难分此夜中。
无将故人酒，不及石尤风。

这是挽留友人的诗，卢秦卿事迹不详。前期，后会之期。首二句说虽知后会有期，此夜却不忍分离。下二句用开玩笑的口气出之，却表现了诚恳的友谊。关于石尤风，有这样一段故事：一个石姓的女子嫁了经商的尤姓的丈夫，按习俗称石尤氏。丈夫要远行，妻子劝阻不听，他又久去不归，她思念成疾而死。她死前说："以后有商人远行，我为保佑妇女，必作大风阻止。"此后商人发船时若遇打头逆风，就说这是"石尤风"，便中止出发。

张潮 （生卒年代不详）

曲阿（今江苏丹阳县）人。他存诗只有五首，有一首还被认为是别人写的。

采莲曲

朝出沙头日正红，晚来云起半江中。
赖逢邻女曾相识，并着莲舟不畏风。

沙头，即江岸。朝出是大好晴天，晚上半天云起，天变起风了。凭仗遇到相逢的邻女，莲舟并行，就不怕风吹翻船了。诗写采莲妇女勤劳勇敢，并能互相帮助，很有民歌趣味。

江南行

茨菰叶烂别西湾，莲子花开犹未还。
妾梦不离江上水，人传郎在凤凰山。

茨菰就是慈姑，一种可吃的水生植物，叶烂当在秋冬，是他们在西湾离别的时候。当时可能相约不久就回来。但是莲花已开，到了次年夏天了，思念的人还没有如约而归。去时走水路，所以思念成梦不离水上，但听人说男的在凤凰山，已经离开水上了，可见行踪不定，不免在离愁之外，又增加了担心和微怨。这首诗语浅情深，也很有民歌风味。

顾况 （725？—806）

苏州人，一说海盐（今浙江海盐县）人。因作《海鸥咏》讽刺权贵，贬为饶州司户。诗多对被压迫的劳动人民表示同情，并痛斥不合理的风俗制度。

过山农家

板桥人渡泉声，茅檐日午鸡鸣。
莫嗔焙茶烟暗，却喜晒谷天晴。

首句写过木桥到山农家去时听到泉水声，次句写到山农茅屋时听到鸡鸣，通过走的经过，把山村景色描写得很细致。末二句写山农接待来客情形，一面请客人不要见怪，因焙制茶叶屋里有烟，一面谈天晴晒谷，心里高兴。山农的勤劳和纯朴性格也恰当地表达出来了。

归山作

心事数茎白发，生涯一片青山。
空林有雪相待，古道无人独还。

诗写山居生活的环境和内心的感情，很真实自然。

临海所居 （三首录一）

此是昔年征战处，曾经永日绝人行。
千家寂寂对流水，惟有汀洲春草生。

这里所谓“昔年”，指宝应元年（762）到二年，征战指唐王朝指派县令向人民搜刮财物，民不聊生，袁晁起义反抗，战败被杀。这次战争造成了诗中所写的人绝地荒，只有沙洲上青草自在地生长着。

李涉 （生卒年代不详）

洛阳人。初与弟渤同隐庐山。大和中为太学博士。

井栏砂宿遇夜客

暮雨萧萧江上村，绿林豪客夜知闻。
他时不用逃名姓，世上如今半是君。

《唐诗纪事》记述一个有趣的故事：涉在皖口（在今安徽安庆市皖河入长江的渡口）遇盗，问是什么人，侍者答是李博士。盗说久闻诗名，只愿得一诗即可，李涉就写了上面一首绝句送他。

井栏砂是皖口的小村，夜客和绿林豪客都是对盗的客气称呼。知闻，早闻诗名。头二句叙事，连绿林好汉也知道自己的诗名，诗人自然感到高兴。三句既有自己逃名无用的意思，似也说夜客不必隐姓匿名了。末句含有极深刻的讽刺，批判揭露了当时的现实，诗很有幽默感。

题鹤林寺僧舍

终日昏昏醉梦间，忽闻春尽强登山。
因过竹院逢僧话，偷得浮生半日闲。

诗的情绪有些消沉，但勉强登山，寻僧闲话，乐生的心情还意在言外。

韩翃 （生卒年代不详）

南阳（今河南沁县）人，大历十才子之一。

寒食

春城无处不飞花，寒食东风御柳斜。
日暮汉宫传蜡烛，轻烟散入五侯家。

寒食节一般人家只能吃冷饭。但满城花开，皇宫柳树迎风摇摆，春光明媚，成为鲜明对照。封建统治者为表示恩宠，特准在宫内点蜡烛，并送烛到五侯家。这里的汉宫实指唐宫，五侯指操纵朝政的宦官。末句实借这一具体事件进行讽刺。

宿石邑山中

浮云不共此山齐，山霭苍苍望转迷。
晓月暂飞高树里，秋河隔在数峰西。

石邑是今河北石家庄市。诗写山中情景：高达浮云，山上烟霭茫茫，难辨方向，晓月隐在高树之中，银河在数峰之外。诗使读者有身临其境之感。

郎士元 （727—780？）

定州（今河北定县）人，同钱起齐名，诗风相似。

听邻家吹笙

凤吹声如隔彩霞，不知墙外是谁家？
重门深锁无寻处，疑有碧桃千树花。

凤吹声，即笙声。隔彩霞，从天外传来。不知墙外是何许人家。重门深锁，找不到吹笙的人。末句似以传说中仙人王子乔吹笙相比，赞美所闻笙声为仙乐，以王母瑶池“碧桃千树花”形容它。

耿沣 （730？—790？）

河东（今山西永济县蒲州镇）人，大历十才子之一。诗多伤时感世。

秋日

反照入闾巷，忧来谁与语？
古道少人行，秋风动禾黍。

反照，夕阳反射的余晖。二句写个人忧思。末二句写秋日荒凉景象，有伤时的感慨，因为战乱使唐王朝盛世成为过去了。

李端 （732—792）

赵郡（今河北赵县）人。大历十才子之一。他不耐做官的生活，隐居衡山。

拜新月

开帘见新月，便即下阶拜。
细语人不闻，北风吹罗带。

在唐代有拜新月的风俗，向月诉说心事或祈求幸福。这首诗写一个少女拜新月的情况。头二句似写事出偶然，实际上她心头有许多话要倾吐，所以见月立即下阶膜拜，态度十分天真自然。细语人不闻，只见到北风吹动裙带。写得含蓄，耐人寻味。

听筝

鸣筝金粟柱，素手玉房前。
欲得周郎顾，时时误拂弦。

筝是古代一种弦乐器，鸣筝就是弹奏筝曲。柱是固定弦的短轴，金粟是上面的装饰。素手指女子的手，玉房前是华丽房屋前面，女子弹筝的地方。周郎是三国时的周瑜，他懂音乐，听到琴调弹错时，就看看弹奏的人，要其纠正。这两句写弹筝的女子因为愿听筝的人看看她，故意把筝弹错。这就含蓄微妙地把弹筝人的心情表达出来了。

闺情

月落星稀天欲明，孤灯未灭梦难成。
披衣更向门前望，不忿朝来鹊喜声。

这首诗写少妇期待丈夫回来，守着孤灯，直到天要亮时还未能入睡，起床向门外看望，依然见不到人影。喜鹊鸣叫，一般相信是远人归来的喜兆，但这时因为失望，就不免不忿（也就是不满、憎恶）了。

李冶　（？—784）

吴兴人，女道士。她与刘长卿有来往，刘称她为女中诗豪。

明月夜留别

离人无语月无声，明月有光人有情。
别后相思人似月，云间水上到层城。

诗的头二句写离别时人虽默默无语，内心却有感情；明月虽然无声，却放射出光辉。离别以后，人的思念之情像月光一样，从云间水上传送到层城（仙地或乐土）。诗人先以离人无语比明月无声，明月有光比离人有情，下二句以月光远照比相思之情，它不是距离所能阻隔的。诗所表达的情思同月光一样明媚。

柳中庸 （生卒年代不详）

名淡，以字行，河东（今山西永济县）人。他和柳宗元是同族，和李端是诗友。存诗只有13首。

征人怨

岁岁金河复玉关，朝朝马策与刀环。
三春白雪归青冢，万里黄河绕黑山。

金河即黑河，故址在今内蒙古自治区呼和浩特市南。玉关即玉门关，两地相离很远，这句表示转战各地或常常更换驻地。马策就是马鞭，刀环是战刀柄上的铜环，这句是天天离不开马鞭和战刀。青冢是西汉王昭君墓，在今呼和浩特市境内，据说墓上的草色独青，因此叫青冢。黑山也在今呼和浩特市境内，离黄河很远。一种说法把三四句解释为：似仍就征夫行踪而言，三月又回到青冢，行踪有如黄河绕黑山一样远长，这就与首句重复了。另一种解释说三四两句写边塞的寒冷荒凉，跋涉的劳顿辛苦。通过这些具体情况，怨的情绪也就表现得很深刻了。对仗十分工整是这首诗突出的艺术特色。

戎昱（735—790）

荆南（今湖北江陵县附近）人。曾在书法家颜真卿幕下做过事。诗中写过安史之乱后，吐蕃等少数民族侵扰情况。

移家别湖上亭

好是春风湖上亭，柳条藤蔓系离情。
黄莺久住浑相识，欲别频啼四五声。

这首诗写离开故居时的依恋之情，但不直写自己的感受，而写柳、藤和黄莺对自己的依恋。从此也可见诗人对故居的动植物都怀着深情，对故居的厚爱也就不言而喻了。柳条、藤蔓“系”住离情，黄莺“啼”出别恨，是一种拟人化的表现手法，使情感形象化，更易动人。

霁雪

风卷寒云暮雪晴，江烟洗尽柳条轻。

檐前数片无人扫，又得书窗一夜明。

这首诗又题作“韩舍人书窗残雪”，是访友人不遇，将所见情景即兴写下来的。风将寒云卷走，傍晚雪后天晴，江上烟霭被雪洗尽，柳条上积雪不多，在风中轻摆。头二句把初晴后雪景写得很好。檐前留下几片残雪未扫，想到“又得书窗一夜明”，便写出对友人的深情了。晋代有个孙康，好学而家贫无油，曾映雪读书。末句似暗用了这个典故。

韦应物 （737—792）

长安（今陕西西安市）人。他诗风淡泊，爱写自然风景。他很钦佩陶渊明，写诗和做人都以他作榜样。在滁州做刺史时，写了一首诗：

滁州西涧

独怜幽草涧边生，上有黄鹂深树鸣。
春潮带雨晚来急，野渡无人舟自横。

一种突然出现的现象或偶然见到的事物，引起诗人的注意，有所感而写诗，是很常有的事。这一现象或事物所引起的思想感情，与诗人当时的心情相适应，或引起对生活的沉思或回忆，都是很自然的。因此，有些诗被人认为有寄托，就是字里行间还有未明白写出的意思。这种现象是有的，但读者理解不同，所以常有争论。例如对韦应物的这首《滁州西涧》就是如此。我们不谈这些。

诗人做这首诗时在滁州做刺史，西涧在滁县西部。诗写涧边幽草，深树黄鹂，雨落潮涨，野渡无人，作为写景诗是很出色的。联系到中唐政治腐败，诗人关心人民疾苦而又无能为力，写景中蕴含着这种情绪，并不足奇。但为寄托而寻景写诗，那恐怕就不是诗人的本意了。

秋夜寄丘二十二员外

怀君属秋夜，散步咏凉天。
山空松子落，幽人应未眠。

丘员外是丘丹，当时在山中学道，诗中称他为“幽人”，隐居的人。许多学道的人喜吃松子，正当秋夜，是松子落地的季节，诗人因此而怀念他的好友，写了这首诗。察觉这种情况，环境必然十分幽静。这诗既表现了诗人的性格，也表现了“君子之交淡如水”，淡泊而实深厚的友谊。

休暇日访王侍御不遇

九日驱驰一日闲，寻君不遇又空还。

怪来诗思清人骨，门对寒流雪满山。

九天为事物奔波，第十天才休假一日，访友不遇，自然使人怅然。王侍御不知是何许人，不过从三四句可以看出是一位诗友。第三句意思是：难怪诗思使人心灵纯洁。末句以所见景物称赞友人所写的诗极度清新，人品高尚。

于鹄 （745—787？）

隐居汉阳（今湖北武汉市）山中，诗多写和尚、道士，但也偶有质朴如民歌的诗篇。

江南曲

偶向江边采白苹，还随女伴赛江神。
众中不敢分明语，暗掷金钱卜远人。

《江南曲》是乐府《江西弄》七曲之一。古代没有祭祀水神的庙宇，只在水边举行赛会祭神求福。诗中的少妇只随兴参加这些活动。三四句描写她心中暗暗思念着外出的丈夫，偷偷地掷金钱占卜丈夫在外的吉凶或卜什么时候能归来。是闺情诗的另一风格。

卢纶 （748—800？）

河中蒲州（今山西永济县）人，是大历十才子之一，数举进士不第，元载把他的文章送上去，得授官，但以后称疾辞去。

塞下曲

一

月黑雁飞高，单于夜遁逃。
欲将轻骑逐，大雪满弓刀。

二

林暗草惊风，将军夜引弓。
平明寻白羽，没在石棱中。

这是他《和张仆射塞下曲》六首中的两首。第一首写夜逐敌人。古代匈奴称首领为单于，这里只指塞外部族。将是率领的意思，轻骑是轻装行走迅速的骑兵。一四句写战争环境空旷严寒，凄凉艰苦；二三句写战争情况，敌败我胜。全诗具体生动，读起来如身临其境。

第二首写夜戍。草深林暗，令人一惊，起了风。我们常听说“风从虎”，将军知道有虎来了，立即引弓待发。发箭的结果到第二天早晨才见分晓：原来有白毛羽饰的箭射进石头突出的部分了。将军的警惕勇猛就意在言外了。

逢病军人

行多有病住无粮，万里还乡未到乡。
蓬鬓哀吟古城下，不堪秋气入金疮。

这首写病军人的诗真是字字是泪，使人不忍卒读！拖着有病的身体，走了很多的路，疲劳不堪，干粮存得不多，又不敢住下休息。希望还乡，万里迢迢，又明知不能走到。蓬头垢面，坐在荒芜的古城墙下，天气渐冷，身上所受的刀剑疮疼得难忍，苦苦哀吟。这是惨绝人寰的图景，他的灾难胜过战场上的枯骨。

唐朝的边塞战争，有时是反击异族的侵略，有时是为扩张领土。不过战争中受苦最多的是征夫，我们从这类诗略略可以看到。

李益 （748—827）

陇西姑臧（今甘肃武威县）人。客游燕赵，又久历征戍，既有慷慨悲歌诗篇，也有情思悱恻佳作。他的诗音律和美，乐工争相谱唱。

江南曲

嫁得瞿塘贾，朝朝误妾期。
早知潮有信，嫁与弄潮儿。

瞿塘，瞿塘峡，是三峡之首，在当时商业中心夔州。贾，音古，经商的人。误期，误相约之期不归。这自然引起闺怨。因怨而有下二句似不合理的奇想：要早知潮水涨退有规律，不如嫁给弄潮儿了。弄潮儿是潮水大涨时跃入水中游泳的人。篙师、舵工也称弄潮儿。这一念头把怨情写得极为真切，很有民歌风趣。

写情

水纹珍簟思悠悠，千里佳期一夕休。
从此无心爱良夜，任他明月下西楼。

珍簟是珍贵的竹席，上有如水的细纹。思悠悠是忧思绵绵。所以如此，因千里佳期一夜幻灭了。三四两句说从此以后对良宵美景不感兴趣，月下西楼也漠不关心了。

对这首诗有两种解释：一说诗为约会情人失约不来而写；一说根据《霍小玉传》（蒋防），李益在长安应试时，结识霍小玉，誓共偕老。益归家省母，母亲已为他订了婚，小玉饮恨死了。这首诗似为霍而作。后一种解释较好。

夜上受降城闻笛

回乐烽前沙似雪，受降城外月如霜。
不知何处吹芦管，一夜征人尽望乡。

受降城也就是回乐县。在唐代，这里是防御突厥、吐蕃的边塞前线，所以有报警的烽火台。烽前就是台前，一片沙漠，色白似雪。城外一片月色，洁白如霜。前二句将边塞风光写得美而凄凉。这时不知从何处传来芦管声，引起征人普遍的乡思，不待言，诗人也有同样感受。全诗情景交融，乐声仿佛是心曲的伴奏。

刘商 （生卒年代不详）

彭城（今江苏徐州市）人。少好学，大历进士，能诗善画。

画石

苍藓千年粉绘传，坚贞一片色犹全。
那知忽遇非常用，不把分铢补上天。

这一首诗可能是题他自己的创作。头二句描写画石的本身：一片古老坚贞的石头，上面长满了青苔，色彩经久而并未败褪。这是以石比喻自己的性格。要明白下二句，我得先给你们讲个神话。在远古的时候，天上出现了一个大缺口，闹得人心惶惶，以为大难临头。本来嘛，天上出现了大窟窿，谁知道会跑出什么妖魔鬼怪？光是从那里漏水也不得了呀！幸而有位叫女娲的神，炼出五色石头，把缺口补上了。这就是炼石补天的故事。以后人们常说的炼石补天，却就是把乱糟糟的危险局面整顿好的意思了。诗人有一番治国平天下的宏愿，但不被人重用，就比喻成炼好五色石，但一点也不用它补天，自然要发出悲叹了。

送王永　（二首录一）

君去春山谁共游？鸟啼花落水空流。
如今送别临溪水，他日相思来水头。

这是一首惜别诗，头二句写别后无人同游春山，花鸟流水都引不起什么兴趣了。这已经隐含别后相思之情。下二句明确说到如何排除：只有到昔日水边话别的地方，重温旧梦。语浅情深，写法别致。

武元衡 （758—815）

河南缑氏（今河南偃师缑氏镇）人，建中四年（783）进士。做过宰相，又多年任剑南节度使。因力主讨伐藩镇，还朝被人遣刺客杀害。

春兴

杨柳阴阴细雨晴，残花落尽见流莺。
东风一夜吹乡梦，又逐东风到洛城。

诗写春暮引起乡思。东风吹起乡梦，梦随东风到了洛阳城。新雨初晴，杨柳、落花、流莺、东风、乡梦——现实同梦交融，意境耐人寻味。

渡淮

暮涛凝雪长淮水，细雨飞梅五月天。
行子不须愁夜泊，绿杨多处有人烟。

淮，淮河，源出河南桐柏山，流经安徽，在江苏北部入洪泽湖。首句写淮河水在傍晚时波涛有如积雪，次句写五月梅子黄落，多雨，称梅雨。这时候在外旅行的人容易感到愁闷。后二句劝慰行子不必为夜泊发愁，因为岸上绿杨深处有人家，是可以安心过夜的。

赠道者

麻衣如雪一枝梅，笑掩微妆入梦来。
若到越溪逢越女，红莲池里白莲开。

道者，大概是女道士。一二两句实写她的外形，她穿一身白色的衣裳，好像一枝白色的梅花。淡妆与浓妆相反，就是服装雅素，微笑着入了诗人的梦境。这印象不因梦醒而淡漠，诗人却把她悬想成红莲丛中的一朵白莲。越溪是越国美女西施浣纱的地方。红莲自然指在那里浣纱的越女。梅和白莲给人的印象是美丽而纯洁的，诗在读者的心中引起的情操也应如此。

权德舆 （759—818）

天水略阳（今甘肃秦安县东北）人。十五岁时即编文为《童蒙集》十卷。多在朝任高官，也外出任职，最后因病回京，途中去世。

玉台体 （十二首录三）

一

隐映罗衫薄，轻盈玉腕圆。
相逢不肯语，微笑画屏前。

二

昨夜裙带解，今朝蟢子飞。
铅华不可弃，莫是藁砧归？

三

万里行人至，深闺夜未眠。

双眉灯下扫，不待镜台前。

南北朝时期，南朝陈有位徐陵，把梁以前所谓艳诗选编为《玉台新咏》十卷。这些诗又称“宫体”，因为作者有帝王，也有些诗写宫廷生活。后人拟作的诗即称为“玉台体”。

选诗第一首用几个细节即勾画出女子的娇憨形态。

第二首写从一些预兆中想到丈夫即将归来。古代妇女以带系裙，带结松开，往往认为是外出丈夫归来的喜兆。蟢子，亦称喜子，是一种长脚蜘蛛，在绸上动时好像是飞，也常被认为是喜兆。这两件小事动了思妇的心，因有下面的猜想。铅华是妇女敷面的粉，这句说还要修饰容貌。莫是，莫不是，疑问词。藁砧是切草的砧石，切草用鈇，与夫同音，用作代称丈夫的隐语。

诗既质朴，感情也是健康的。

第三首写丈夫从万里外归来，妻子万分惊喜，迫不及待，不到梳妆台前照镜，就在灯下匆匆画了画眉毛。妻子惊喜的神态写得多么生动！

览镜见白发

秋来皎洁白须光，试脱朝簪学舞狂。
一曲酣歌还自乐，儿孙嬉笑挽衣裳。

到了秋天，看见须发洁白，便脱去簪冠狂舞起来。（古人戴冠时，用簪将冠插入头发挽成的髻上。）一边还高歌取乐，引得儿孙挽着自己衣服嬉笑。这首诗将老人不知老之将至，心情畅快，步履轻盈的神态写得活跃纸上。

赠天竺灵隐二寺主

石路泉流两寺分，寻常钟磬隔山闻。
山僧半在中峰住，共占青峦与白云。

天竺和灵隐是西湖两座寺院，这首诗别有风趣。

羊士谔 （生卒年代不详）

泰山（今山东泰安市）人。贞元元年（785）进士。

泛舟入后溪

雨余芳草净沙尘，水绿滩平一带春。
唯有啼鹃似留客，桃花深处更无人。

前二句写雨后沙净水绿，春光明媚。后二句写桃花盛开，无人观赏，只有杜鹃啼声可闻。环境如此幽静，诗人的闲适心情自在言外。

郡中即事　（三首录一）

红衣落尽暗香残，叶上秋光白露寒。
越女含情已无限，莫教长袖倚阑干。

此诗一题作“玩荷花”，首二句写荷花入秋残落，只余一点暗香，叶上还闪跃着露珠。这种景色易引起伤感。三四句写越女已有迟暮之感，莫教她倚阑观看这种景色，徒增悲伤了。有自慰自勉的意味。

孟郊 （751—814）

湖州武康（今浙江德清县）人。少隐嵩山，性情耿介。他与韩愈为忘年交，很为韩愈器重。苏轼评他诗："诗从肺腑出，出辄愁肺肠。"

古别离

欲别牵郎衣，郎今到何处?
不恨归来迟，莫向临邛去!

这首诗写夫妻离别时，妻子向丈夫说出深藏在心底的忧虑，归期迟了可以不恨，但不要另觅新欢，将她遗弃。意深情切，令人感动同情。

为什么怕他到临邛去呢？这里有一段历史的故事。汉代的司马相如客游到临邛（今四川邛崃县），同卓文君相识相爱，历代传为佳话。这里借用了这个故事，只表示希望丈夫不要喜新厌旧。

你们要知道，在封建旧时代，寡妇不能再嫁，不然就违反礼教，被人看不起。卓文君新寡，而毅然嫁了所爱的司马相如，表明她明达而有勇气。在旧封建时代，妇女遭遗弃是常有的事，这位妇女的忧虑不是无缘故的，诗人在诗中表示了对她的深厚同情。

归信吟

泪墨洒为书，将寄万里亲。
书去魂亦去，兀然空一身。

以泪和墨写信寄远，情已够深。灵魂随信同去，就情深逾海了。设想十分新奇。

古怨

试妾与君泪，两处滴池水。
看取芙蓉花，今年为谁死。

这首诗的构思十分奇特。他的诗中因怨因爱而写到泪的很多，写得好的也不少。但这首诗写泪很别致。她要求丈夫同她一样，把相思的泪水滴到水池里面，看池里的荷花为谁的泪枯死。不言而喻，谁的泪多，谁的泪更苦，谁就能致荷花死命，谁的相思情就更深。

李约 （751—810？）

陇西成纪（今甘肃天水县）人。唐宗室，弃官隐居。

观祈雨

桑条无叶土生烟，箫管迎龙水庙前。
朱门几处看歌舞，犹恐春阴咽管弦。

天旱到桑树上没有了叶子，地面的土干成灰尘，一踏就像烟一样飞扬，老百姓只好在龙王庙吹奏乐器，敬神求雨。朱门是红漆大门，指的是有钱有势的人家，却怕天阴下雨，使乐器的弦受潮声哑，影响他们歌舞的乐趣。

晁采 （生卒年代不详）

大历时女诗人，有文采，性爱云。少年时与邻人文茂相约为夫妻。长大时，文茂寄诗表达情意，采用莲子答谢。一个莲子落到水中，花开并蒂，茂借此与采通款曲。她的母亲知道了，以采嫁茂。当然，这段传奇式的佳话未必是实有的。

子夜歌 （十八首录三）

一

侬既剪云鬟，郎亦分丝发。
觅向无人处，绾作同心结。

二

明窗弄玉指，指甲如水晶。
剪之特寄郎，聊当携手行。

三

醉梦幸逢郎，无奈乌哑哑。
中山如有酒，敢惜千金价！

子夜歌是乐府“吴声歌曲”，相传为晋时女子子夜所作，内容写男女爱情，以后诗人多仿作。云鬟为女子发髻；分意也是剪。这表示男女已到成年。同心结是以发相结，表示相爱，夫妻成婚称为“结发”。第三首三四两句：传说古代中山人狄希能酿千日酒，人饮后能醉千日。全首诗的意思是：喝酒醉了，梦见情人，但被乌鸦叫醒，无可奈何。如有中山人酿的千日酒，不惜用千金购买，以便千日在醉乡与情人相会。这首诗很有子夜歌风趣。

陈羽 （753—？）

江东（今江苏南京市一带）人。四十岁才中进士。他与韩愈有交往。

送灵一上人

十年劳远别，一笑喜相逢。
又上青山去，青山千万重。

灵一是诗僧，与张继、皇甫冉等为诗友。上人是对僧的尊称。劳是悲伤，言为十年远别伤心。相逢一笑固然感到欣慰，但“青山千万重”既表示惜别深情，也表示后会难期。含蓄见艺术技巧。

梁城老人怨

朝为耕种人，暮作刀枪鬼。
相看父子血，共染城壕水。

梁城，今河南临汝县。唐代中期以后，藩镇割据，多方扩张自己势力范围，征兵互相屠杀。这首诗就是这种局面的缩影。

王涯 （765？—835）

太原人。贞元八年（792）进士。做高官而对妻子情笃，不蓄妾。与人谋铲除宦官集团，事败被杀害。

秋思赠远 （二首录一）

当年只自守空帏，梦里关山觉别离。
不见乡书传雁足，唯看新月吐蛾眉。

这是一首怀念妻子的诗。“当年”是年轻；“只自”是独自。整句的意思是说年轻的妻子独自守在空房里。第二句是写自己梦中越过关山与妻子相会，但醒来知道二人仍在别离之中。三句写古人相信雁足可以传信，但不见家信传来。末句说仰看新月，幻想是妻子的蛾眉。

秋夜曲

桂魄初生秋露微，轻罗已薄未更衣。
银筝夜久殷勤弄，心怯空房不忍归。

桂魄是月亮，相传月中有桂树。秋天微有露水，月亮刚刚上来，天气已经有凉意。第二句写诗中女人因为心事重重，罗衣虽薄，并不去换厚点的衣裳。为排除忧思，尽力弹筝。因为房里空空，不忍回去。诗笔婉约，写出无限缠绵情思。

闺人赠远　（五首录一）

莺啼绿树深，燕语雕梁晚。
不省出门行，沙场知近远。

绿树深处黄莺啼鸣，天色已晚梁间还燕语呢喃，这种暮春景色容易引起万端思绪。后二句写思妇怀念征人的深情，因为她虽不会出门远行，但梦魂萦绕，心思离不开征夫，沙场远近，也就了然于怀了。

游春曲　（二首录一）

万树江边杏，新开一夜风。
满园深浅色，照在绿波中。

水边万树杏花，颜色有深有浅，微风轻轻吹拂，花影在绿波中荡漾——好一幅引人入胜的春景图！

杨巨源 （生卒年代不详）

河中蒲州（今山西永济县蒲州镇）人。贞元五年（789）中进士。

城东早春

诗家清景在新春，绿柳才黄半未匀。
若待上林花似锦，出门尽是看花人。

城东，指长安城东。上林，即上林苑，故址在长安西北。对诗人来说，清新幽静的景色在早春最可爱。第二句写得具体：柳报春最早，初春时嫩黄柳色，因在严冬之后，很引人注意。等到繁花似锦，游人众多，热闹代替了清幽，春光倒不免减色了。诗人的心情，我们是可以理解的。

令狐楚 （766—837）

原籍敦煌，后迁宜州华原（在今陕西），又作咸阳人。贞元七年（791）中进士。与刘禹锡、白居易有交往。

长相思 （二首录一）

绮席春眠觉，纱窗晓望迷。
朦胧残梦里，犹自在辽西。

这是一首思念征夫的诗。首二句写春梦刚醒，纱窗外天色还未大明。三四句写在模模糊糊的残梦里，还以为身在辽河以西的地带，丈夫驻防的地方呢。

韩愈 （768—824）

南阳（今河南孟县）人。贞元二年（786）中进士。因谏迎佛骨，被贬官。他是唐代古文运动的倡导者，与柳宗元齐名。

春雪

新年都未有芳华，二月初惊见草芽。
白雪却嫌春色晚，故穿庭树作飞花。

诗人盼望春天到来，但新年百花都未开，不免惆怅。忽然看见发青的草芽，知道春天终于快要到了，不免惊喜。这两句将心情变化写得已经细致。三四句却是奇妙的想象，以自己盼春的心情推想，白雪也嫌春天姗姗来迟，便穿过庭树飘动下来，仿佛是春花怒放了。看到这种景色，春天已经到来的幻觉，也就很够使诗人感到快慰了。

早春呈水部张十八员外　（二首录一）

天街小雨润如酥，草色遥看近却无。
最是一年春好处，绝胜烟柳满皇都。

水部是官职，张十八员外是张籍。天街是皇城的大街，我们常说春雨如酥，一方面说它湿润像奶油，一方面也说它富有使植物生长的养分。初春一下小雨，远远可以看到草芽已发绿，但色极浅，近看却又似乎没有了。这一句写得极为微妙，既表达了诗人希望春天早到的心情，也表示他观察仔细，文字表面平淡，诗意却很浓厚。三四两句再度说初春的景色最美，胜过"杨柳堆烟"的暮春季节。给人以新奇感的事物，往往更引人喜爱，也是心理常态。

晚春

草木知春不久归，百般红紫斗芳菲。
杨花榆荚无才思，唯解漫天作雪飞。

这首诗写的是晚春的图景，这是容易看明白的。但是对三四两句的解释却有歧义。头二句说草本和木本植物都知道春天就要过去了，万紫千红争相怒放。这是形象化的写法，仿佛草木是有感情知觉的了。但暮春的景色中，除了色彩鲜艳的花之外，还有飞絮如雪的杨树和形如线币的榆荚，不写它们，图景便不完全。既赋予其他草木以感情知觉，对它们没有形色之美，而说它们“无才思”，是一种微妙的幽默感，同上两句的写法是和谐一致的。

盆池　（五首录一）

莫道盆池作不成，藕梢初种已齐生。
从今有雨君须记，来听萧萧打叶声。

用大瓦盆浅埋地面，养鱼种荷，称为盆池。诗的头二句说盆池不难做成，种上一截藕梢就可以生出荷来。待到荷叶长大，便可以听到雨打荷叶的声音。从栽植就想到听雨打荷叶声的乐趣，同以上的诗联系起来，可以看出诗人对于自然界的一切是很敏感的。

风折花枝

浮艳侵天难就看，清香扑地可遥闻。
春风也是多情思，故拣繁枝折赠君。

诗的首句说鲜艳的花开得高入天空，仰头也难看清。第二句说花香在地上只可以远远闻到。春风了解诗人欲向友人赠花的情谊，把花开得最多的花枝故意吹折了，让诗人送给朋友。这首诗把对友人的深情写得多么委婉细致！

张仲素 （769—819）

河间（今河北合间县）人。贞元十四年（798）中进士。工绝句。

春闺思

袅袅城边柳，青青陌上桑。
提笼忘采叶，昨夜梦渔阳。

袅袅是形容柔长的柳枝在风中飘动，引起人折柳枝赠别的联想。青青的桑树点明妇女是采桑叶来的。柳桑的动态和颜色绘出了明媚春光的图景。见景生情，回忆起昨夜梦渔阳，即梦见戍边所在地的丈夫。渔阳是现今的河北蓟县，那时是边塞要地。在恍恍惚惚的梦境中，她把采桑叶饲蚕的事儿也忘记了。这把妇人日夜思念征夫的情怀委婉细致地表达出来了。这首诗既有民歌的风趣，又有绘画的特色。

春游曲 （三首录一）

烟柳飞轻絮，风榆落小钱。
濛濛百花里，罗绮竞秋千。

头二句写暮春景色：柳絮纷飞，榆钱（荚）飘落。末二句写百花丛中，妇女（罗绮代称她们）竞做秋千游戏。情景交融。

秋闺思 （二首录一）

秋天一夜净无云，断续鸿声到晓闻。
欲寄征衣问消息，居延城外又移军。

秋夜无云，天高气爽，鸿雁断续夜鸣，直到天亮；天气渐冷，自然想到要为征夫寄冬衣了。居延是边塞古县，故址在今甘肃额济纳旗地方，有军队驻守，这时丈夫又移驻他处，寒衣也无法寄去了。秋天终夜闻雁，思妇情绪已够凄凉惨淡，移军表示边乱加剧，欲寄冬衣而不能寄，思妇的忧伤就更深化了。

张籍 （768？—830？）

原籍吴郡（今江苏苏州市）人，迁居和州（今安徽和县）。贞元十四年（798）进士。他的乐府诗通俗流畅，多述民间疾苦，绝句也自然清新。同王建是诗友。

秋思

洛阳城里见秋风，欲作家书意万重。
复恐匆匆说不尽，行人临发又开封。

这首诗使我联想到岑参的《逢入京使》中“马上相逢无纸笔，凭君传语报平安”。张籍诗所写的情况更为常见，恐怕很多人都有这种经验，例如“欲言不尽”，就是书信中常见的话。能将普通的经验用朴实的文字表达出来，激动人心，是这首诗的艺术特色。

凉州词　（三首录一）

边城暮雨雁飞低，芦笋初生渐欲齐。
无数铃声遥过碛，应驮白练到安西。

边城即凉州，当时边塞要地，首句写傍晚鸿雁低飞，芦笋是沼泽地带所生芦苇的嫩芽，可以吃，这时已渐渐生齐。这两句描写了边城的荒凉景象。远处却有无数铃声可闻，是庞大的骆驼队从沙漠中通过。想来该是驮漂白的熟帛到安西去。安西及周围大片土地原属唐朝，早被吐蕃族占据，唐朝统治者和边将并无收复失土的心，只苟且偷安，献白练或以白练换取病弱马匹。末句对此表示了极大的愤慨，虽然表示屈辱的只是一个细节。

王建 （768？—830？）

颍川（今河南许昌市）人。大历进士。出身贫寒，官卑至晚年还是贫困。他关心社会现实，所写乐府在内容与风格上都有创新，与张籍的乐府同对白居易和元稹有很大影响。他所写《宫词》百首，与乐府就不能相比了。

新嫁娘词 （三首录一）

三日入厨下，洗手作羹汤。
未谙姑食性，先遣小姑尝。

新娘婚后三日到厨房做菜，是一种古代风俗。姑食性是指婆婆的口味。她爱吃什么，小姑——丈夫的妹妹，一般说对此是比较熟悉的。这首小诗用简单的一件小事，写活了一位贤淑细心的新嫁娘。

雨过山村

雨里鸡鸣一两家，竹溪村路板桥斜。
妇姑相唤浴蚕去，闲着中庭栀子花。

头二句写山村景色，十分具体，没有一个闲字：雨里鸡鸣，小溪修竹，曲径板桥，一二人家，多么幽静美丽。三句写一嫂一姑互唤去一同劳动，多么情感融洽。末句用一个细节画龙点睛，写出农妇养蚕有多辛苦，连看看最喜种的栀子花都没有工夫，更顾不到折来插在头上了。

栀子花色白香浓，在我的故乡农村是常见的，我对它很有好感，读这句诗就觉得分外亲切了。几年前我居然买到一盆栀子花，蓓蕾很多，但未开放，可惜两年后死去了。

寄蜀中薛涛校书

万里桥边女校书，枇杷花里闭门居。
扫眉才子知多少，管领春风总不如。

薛涛是女诗人，时人称她为女校书。万里桥在四川成都南门外，薛涛晚年住万里桥附近的浣花溪，扫眉才子意为有才华的女子；管领春风，在诗坛居首位。这首诗称赞薛涛诗才出众。

十五夜望月寄杜郎中

中庭地白树栖鸦，冷露无声湿桂花。
今夜月明人尽望，不知秋思落谁家。

杜郎中不知是何许人。诗的头二句写月夜景色。月光将庭院中的地照白了，乌鸦已经栖息在树上，环境幽静极了。露水无声使桂花湿润，散出清香。有人认为第二句写诗人仰头望月，在想象中见到月中的桂树，引起丰富的神话联想。第三句写今夜人人都望月。第四句写月光不知在谁家引起秋思，这秋思可能是思念远人的相思，回忆往事的悲欢，或渴望故里的乡愁。也有人认为诗题原有自注：“时会琴客”，所以秋思应为琴曲名；有人赞成这一说法，并补充说，“秋思”有双关意义。我并不想同你们细谈，不过从这里可以说明一下“诗无达诂”的意思，也是读古典诗的一点启蒙常识。

春意　（二首录一）

去日丁宁别，情知寒食归。
缘逢好天气，教熨看花衣。

临别千叮万嘱，约定清明节寒食归来。天气很好，相信丈夫会如约来家，所以教人熨好看花的衣服等待。夫妻情笃，意在言外。诗只写一个细节，胜过烦琐铺叙，是绝句的艺术特色。

江南三台词　（四首录一）

扬州桥边小妇，长安市里商人。
三年不得消息，各自拜鬼求神。

江南三台词是乐府《杂曲歌词》。小妇，少妇，有的本子即作少妇。

宫词　（百首录二）

一

宫人拍手笑相呼，不识阶前扫地夫。
乞与金钱争借问，外头还似此间无？

二

树头树底觅残红，一片西飞一片东。
自是桃花贪结子，错教人恨五更风。

第一首写宫女见到扫地夫，虽不认识，仍含笑拍手，互相呼唤，并送钱给他们，争问外边的情况。一件小事便把她们与世隔绝的生活写得清清楚楚了。

第二首写宫女悲叹自己的命运。头二句写抬头看高枝，低头看地下，都只见到将残已残的桃花，残花飘落到地下各处。这两句主要写时光消逝，红颜易衰，因被遗弃而感到悲伤。三四句更进一步写桃花残落，不能错怪东风摧残，而是因为桃花急欲结果，自己的命运就远远不如桃花了。诗写得含蓄委婉，明白如话，而含意十分深刻。

这里我顺便给你们讲一个故事。写《宫词》百首的王建，同当时有权有势的宦官头头王守澄是同族，两人关系不错。一次二人对饮，王建有点酒意，说东汉灵帝信任宦官，杀正直大臣，结果东汉覆亡。王守澄听了大怒，想奏明皇帝：王建大写宫词，泄露宫廷秘密，要重刑惩治。王建一听到风声很害怕，但心生一计，就先发制人，献给王守澄一首诗，称赞王如何长期受皇帝恩宠，参与宫廷机密大事，他自己写的事是本家人向他说的，要不然他一个外人怎能知道皇宫里的事呢？原句是："不是当家频向说，九重争遣外人知。"王守澄更是有气，但毫无办法，只好把上奏皇帝想谋害王建的事作罢了。

宫人斜

未央墙西青草路，宫人斜里红妆墓。
一边载出一边来，更衣不减寻常数。

未央宫西墙外的"宫人斜"是埋葬宫人的地方。更衣原为宫人休息更衣之处，这里指宫人，一边把死的载出，一边就用新人补足原数。

胡令能 （生卒年代不详）

贞元、元和间人。少年时为工匠，以后知书能诗，做了隐士。

咏绣幛

日暮堂前花蕊娇，争拈小笔上床描。
绣成安向春园里，引得黄莺下柳条。

日暮是富有诗意的黄昏时刻，含苞待发的娇花这时更能引人入胜，争拈小笔写出她见景生情，激起了艺术创造的迫切愿望，所以立刻上绣架去描绣屏风。她显然因创作成功而很得意，便把绣好的屏风安放在春光明媚的花园里面，引得黄莺从柳条上飞下来，误以为看到的是真花。屏风增添了园景的美，它精到能引得黄莺下顾，就更显得动静结合，美又增添几分了。

小儿垂钓

蓬头稚子学垂纶，侧坐莓苔草映身。
路人借问遥招手，怕得鱼惊不应人。

一个头发蓬乱的孩子坐在有苔藓的地面上学钓鱼，他对向他提问的人不答话，因为怕将鱼惊跑了。一件小事，随手写来却颇有情趣。

刘禹锡 （772—842）

原籍洛阳，迁居嘉兴（今浙江嘉兴市）。贞元九年（793）进士。早年与柳宗元、晚年与白居易交谊甚笃。他的诗比较长于抒情，所作《竹枝词》《浪淘沙》富有民歌风味。

踏歌词 （四首录二）

一

春江月出大堤平，堤上女郎连袂行。
唱尽新词欢不见，红霞映树鹧鸪鸣。

二

新词宛转递相传，振袖倾鬟风露前。
月落乌啼云雨散，游童陌上拾花钿。

月亮出来了，照着平坦的大堤，女郎们手拉手在大堤上行走。袂是衣袖，连袂就是携手。她们尽兴唱歌，但歌唱完了，却不见自己的情人。最后一句既写景又抒情，红霞映树何等美观，但不见情人，徒增惆怅；鹧鸪雌雄对鸣何等好听，但不见情人，更引悲戚！

踏歌是古代长江流域四川地区流行的民歌。唱时携手用脚踏地击拍。刘禹锡善仿民歌作诗，不失民歌风趣。

古代四川风俗，春季民间男女聚会歌舞，选意中人。所唱的歌多为即兴作品，接唱成篇，边唱边舞。第二首的首句写唱歌的情形，相传就是下一人接着上一人唱。诗的第二句写舞，振袖倾鬟写舞姿。三句写歌舞兴尽，天已破晓。四句写人去后落地的花钿（金属的发饰）被游童拾起。歌舞的狂欢情况，末一句就充分表达了。

竹枝词　（九首录三）

一

山桃红花满上头，蜀江春水拍山流。
花红易衰似郎意，水流无限是侬愁。

二

瞿塘嘈嘈十二滩，人言道路古来难。
长恨人心不如水，等闲平地起波澜。

三

城西门前滟滪堆，年年波浪不能摧。
懊恼人心不如石，少时东去复西来。

第一首诗以桃花春水比男女相恋之情，委婉地表达了年轻女子的单纯而又不安的感情。头二句描写满山红桃花盛开，一江春水顺着山边流过，暗喻情深意长。三四句进一步以花易衰比男子情易变，以水长流比女子怕失恋的愁肠。

第二首诗是诗人对人情世态所发的感慨。诗人遭人诬陷打击，被放逐二十多年，所以他的悲愤并不是无的放矢，容易引起读者同情。他又不说抽象的空道理，而以瞿塘峡险滩的具体形象作比，使人毫无空洞之感。瞿塘峡是长江三峡之一，峡口原有“滟滪堆”，对航船最为危险，现已被炸掉了。

末一首也是写人情世态的诗。这里只提滟滪堆坚定不移，而人心却只考虑利害而时东时西。当然，这种现象是有的，但看法极不全面。我们只引以为戒就是了。

竹枝词 （二首录一）

杨柳青青江水平，闻郎江上唱歌声。
东边日出西边雨，道是无晴却有晴。

竹枝词也是古代四川东部流行的民歌一种，这首诗也是依调写词，内容也写少女爱情心理。首句写景。第二句写她听到情人唱歌的声音。第三四句用具体的晴雨和双关语表达自己的心情：东边晴表示对方有情，也爱自己；西边雨表示猜疑，因为没有明确的誓言。“晴”谐“情”，南方夏天常有东边日出西边雨的情况。在运用双关语和表达纯净天真的感情上，都有民歌的特色。

浪淘沙　（九首录二）

一

濯锦江边两岸花，春风吹浪正淘沙。
女郎剪下鸳鸯锦，将向中流疋晚霞。

二

日照澄州江雾开，淘金女伴满江隈。
美人首饰侯王印，尽是沙中浪底来。

第一首诗的头二句写的风景如画：江水流动，两岸鲜花被春风吹拂。三四句盛赞女郎既勤劳又技术精巧，摘下来有鸳鸯花纹的织锦，可以同晚霞比美。疋，通匹，有配、敌和比的意思。

第二首：澄，是不流动的清水，澄州是这样水中的沙洲。日照雾开，是太阳刚上来的情景，表示天很早。江隈是江边，满表示从事淘金劳动妇女人数众多。朝阳照耀清水中的沙洲，风景明媚，但她们不是为赏心悦目，而是为谋生来辛勤劳动的。这两句和三四两句一对照，说明淘金女劳动的成果，却成了“美人首饰侯王印”，用这种形象的事物，就不会有空洞议论影响诗意的毛病了。

淮阴行　（五首录一）

何物令侬羡？羡郎船尾燕。
衔泥趁樯竿，宿食长相见。

淮阴，今江苏清江市。作者说：“余尝阻风淮阴作《淮阴行》，以裨乐府。”这首诗既受乐府诗影响，也不失乐府诗本色，托物抒情，淳朴自然。裨，音婢，增益的意思。这组诗写的是淮阴水乡生活和男女爱情。这里所选的一首写妇女送别丈夫，见到燕子而引起的情思。首句设问。二句自答：我所羡的是船尾燕子。三四句说明原因：燕子衔泥在船樯上筑巢，食宿时都可相见，自己却没有这样幸福。

杨柳枝

清江一曲柳千条，二十年前旧板桥。
曾与美人桥上别，恨无消息到今朝。

这首诗是重游旧地，怀念久无消息的故人之作。首句写一湾春水，两岸有上千株柳树，柳总有离别的联想。二句只写离别的时间和地点——板桥。第三句轻点一下就够了。末句写直到今朝毫无消息，与离别二十年一联系，就可见思念之久之深了。以精炼的文字表现深刻真挚的情感，是绝句的艺术特色，这首诗极耐人寻味。

和乐天《春词》

新妆宜面下朱楼，深锁春光一院愁。
行到中庭数花朵，蜻蜓飞上玉搔头。

唱和的诗一般内容相似，而写法不同，古人作诗有这样习惯。白居易的《春词》："低花树映小妆楼，春入眉心两点愁。斜倚栏杆背鹦鹉，思量何事不回头？"愁的原因末句写得明白，愁的姿态是两眉双锁，背向鹦鹉，斜倚栏杆。刘诗不说明愁的原因，愁不形之于色，似乎更为含蓄委婉。"宜面"是所用脂粉对面容很适宜。"玉搔头"是玉簪。"数花朵"写出了百无聊赖的心情，形象地表现了愁。末句使人联想起："荷叶罗裙一色裁，芙蓉向脸两边开。"

同乐天登栖灵寺塔

步步相携不觉难，九层云外倚阑干。
忽然笑语半天上，无限游人举眼看。

诗写登高豪兴。正辉大概还没有忘记，奶奶同我1979年同登泰山时，游人惊问我们年龄的情况吧？若还记得，读这首诗的体会，就要比正虹、正霞更深了。要欣赏诗，生活的经验是很重要的。

望洞庭

湖光秋月两相和，潭面无风镜未磨。
遥望洞庭山水色，白银盘里一青螺。

洞庭湖在湖南岳阳。两相和，湖光和月光相互辉映。潭面即湖面。镜未磨，湖面风平浪静，像未磨损的镜面一样。洞庭山即君山。古代常以螺髻比峰峦，青螺指君山山峰。月光下的湖山景色被描写得和谐、宁静，末句的比喻尤为美妙。

金陵五题（五首录二）

一　石头城

山围故国周遭在，潮打空城寂寞回。
淮水东边旧时月，夜深还过女墙来。

二　乌衣巷

朱雀桥边野草花，乌衣巷口夕阳斜。
旧时王谢堂前燕，飞入寻常百姓家。

金陵，今江苏南京市，曾为六朝都城。六朝指三国的东吴，晋代的东晋，南朝的宋、齐、梁、陈。石头城故址在南京市西，石头山后。首句故国指六朝故都，言周围的山依旧存在。空城指石头城，潮水来回打着空城，十分寂寞。这两句写山水如旧。淮水即秦淮河，流经南京城入长江。女墙，城上的短墙（城垛），上有射孔。三四句写月墙依旧。六朝繁华已化为乌有，意在言外。

乌衣巷故址在秦淮河之南，朱雀桥横跨秦淮河上，通往乌衣巷，桥上有谢安所建装饰着两只铜雀的重楼。乌衣巷在孙吴时有身着乌衣的兵士戍守，故名。乌衣巷是东晋建国元勋王导和指挥淝水之战的谢安的宅第所在地。诗的一二句写朱雀桥边野草开花，乌衣巷口夕阳斜照，富有历史联想，已写尽昔日繁荣烟消云散，今日景象满目荒凉。诗人不接着直发感慨，因为这样写就索然无味了，而写王谢堂前的燕子现在只栖息在平常的百姓家，以极平常的形象表达了极深刻的感受。这和上一首诗所运用的是同样的艺术手法。

秋风引

何处秋风至，萧萧送雁群。
朝来入庭树，孤客最先闻。

“秋风引”是乐府琴曲歌辞。季节更换，秋风初起，候鸟鸿雁南迁，是寻常事，一般人容易疏忽，不见不闻，但最容易引起孤客的乡愁别恨，“最先闻”三个字就把这种心情写活了。

秋词二首

一

自古逢秋悲寂寥，我言秋日胜春朝。
晴空一鹤排空去，便引诗情到碧霄。

二

山明水净夜来霜，数树深红出浅黄。
试上高楼清入骨，岂如春色嗾人狂。

人的性格不同，生活经验各异，时节迁易自然会引起不同感受，不可能也不必强求一致。只要不是“为赋新词强说愁”，伤春悲秋也有很好的诗。秋色“清入骨”固佳，“春色嗾人狂”也不一定就不好。我这样说，并非否认刘禹锡所写的是很有特色的好诗。你们若不笑我高攀诗人，“晴空一鹤排空去”，我不仅见过这样的美景，而且并非出于抄袭（当时我还未读过这首诗，或读过已经忘记了），曾写过一句类似的诗。

“排空去”一作“排云上”。

第二首诗写秋色引起的美感和宁静情绪，也很自然真实，我也有亲身体会。这样的诗引起的情绪是健康的、乐观的，使人心胸开朗。

崔护 （生卒年代不详）

博陵（今河北定县）人。贞元十二年（796）进士。

题都城南庄

去年今日此门中，人面桃花相映红。
人面不知何处去，桃花依旧笑春风。

关于这首诗，有这么一段故事：崔护清明节到长安城南游玩，见到一座庄园，花木繁茂，口渴叩门求水喝，一位女郎给他拿杯水来，请他坐饮，自己身倚桃树站立，脉脉含情看望着他。崔对她很有好感。第二年崔再访这个庄园，门关锁着，崔在门上题了上面这首诗。故事可能是因诗而编造出来的，不过诗的内容无疑是诗人的生活经验。诗似简单叙事，但前二句写与桃花人面（美丽的女郎）相遇，引起无限深情，后二句写只见桃花仍在春风中逞艳，而人面却杳无踪影，惆怅之情难以言表，抒情的意味就十分浓厚了。

白居易 （772—846）

下邽（在今陕西渭南县境）人，在河南新郑出生。贞元十六年（800）进士。曾任翰林学士，左拾遗，后贬江州司马，又任过杭州、苏州刺史等。他写过不少讽喻诗，内容涉及社会政治重要大事，也写过不少闲适诗，是唐代诗篇最多的人。他的诗平易通俗，传诵最广。

夜雨

早蛩啼复歇，残灯灭又明。
隔窗知夜雨，芭蕉先有声。

蛩，蟋蟀，晴时鸣，雨时歇。二句写灯忽明忽暗。芭蕉有声，所以知道下雨了。诗人的生活十分幽静，虽然贬官江州（今江西九江市），心头难免有点轻愁，对雨打芭蕉很敏感。

遗爱寺

弄石临溪坐，寻花绕寺行。
时时闻鸟语，处处是泉声。

遗爱寺在庐山香炉峰北，现已废。这首诗写诗人在鸟语花香中玩石听泉，何等闲适！

大林寺桃花

人间四月芳菲尽，山寺桃花始盛开。
长恨春归无觅处，不知转向此中来。

大林寺遗址在庐山香炉峰附近高处，天气比较冷，所以别处已经百花凋谢，这里的桃花却正盛开。“春归无觅处”表现诗人惜春伤春的情思，意外在这里见到桃花盛开，仿佛有旧友重逢一样的惊喜。这样感情是自然流露的，诗也写得自自然然，毫无雕饰的痕迹。白居易主张诗要写得浅显易懂，妇女都能诵读，他的许多诗都做到了这一点。

杨柳枝词 （八首录二）

一

依依袅袅复青青，勾引春风无限情。
白雪花繁空扑地，绿丝条弱不胜莺。

二

叶含浓露如啼眼，枝袅轻风似舞腰。
小树不堪攀折苦，乞君留取两三条。

依依袅袅，轻轻摇曳。青青，指柳色。白雪，柳絮。扑地，满地。末句说柳条嫩弱，停不住黄莺。

柳叶像含泪的眼，柳枝像起舞的腰。折柳惜别是古代习惯，末句祈求爱惜幼小的柳树。

采莲曲

菱叶萦波荷飐风，荷花深处小船通。
逢郎欲语低头笑，碧玉搔头落水中。

萦波，随波浪回旋。荷飐风，荷叶被风吹动。诗一二句写荷池情况，荷花深处，仅通小船。三四句写采莲女遇到情人惊喜含笑，想说话而未开口，低下头去，玉簪落到水中了。脉脉含情的少女形象活跃纸上。

暮江吟

一道残阳铺水中，半江瑟瑟半江红。
可怜九月初三夜，露似真珠月似弓。

这首诗或是去杭州就任途中所作。头二句写傍晚时景色：斜阳在水面上闪光，水色半碧半红，灿烂悦目。三四句写夜景：一弯新月，照得草木上的露水明如真珠，可爱的九月初三夜晚呵，诗人发出赞叹，引起读者情景交融之感。

赠内

漠漠暗苔新雨地，微微凉露欲秋天。
莫对月明思往事，损君颜色减君年。

古代人称妻子为内子或内人，诗题常简称内。漠漠，密密分布很广的意思。头两句写景。新雨后满地长满了青苔，微风初凉的新秋天气，是最容易生病并引起乡愁的时候。下两句抒情，嘱咐妻子不要回想往事伤心，不然既易损容颜，也使人衰老得快。由思念转为劝慰，是体贴入微的地方。

邯郸冬至夜思家

邯郸驿里逢冬至，抱膝灯前影伴身。
想得家人夜深坐，还应说着远行人。

邯郸，今河北邯郸市。驿，驿站，途中休息换马的地方。冬至在唐代是重要的节日，像新年一样隆重庆祝，家人团聚。这时诗人抱膝对灯危坐，只有自己的身影做伴，不能不油然生起思家之念。然而不明说，三四句一转写到家人夜深不睡，在思念自己未能回家，感情就更为深入，留下给读者想象的内容也更为丰富了。

问刘十九

绿螘新醅酒，红泥小火炉。
晚来天欲雪，能饮一杯无？

刘十九的生平我们不知道，显然是白居易的近邻好友。白的朋友刘禹锡有时被称为刘二十八，刘十九也可能是他的本家。“螘”是“蚁”的本字，绿蚁是酿而未过滤的酒，上面浮渣像蚁微绿。这首诗写的是小小主题，文字也极浅显，为什么很被许多人喜爱呢？因为它所写的是朴素生活片断，欲雪的傍晚和小小火炉很家常，给人一种温暖的感觉，诗更洋溢着温暖人心的友情。在欲雪的黄昏，与知己对坐小饮谈心，是人人羡慕而未必能享受到的幸福，或者是这首诗受人欢迎的原因吧。

夜雪

已讶衾枕冷，复见窗户明。

夜深知雪重，时闻折竹声。

这首小诗写得很灵活别致：觉衾冷、见窗明、听竹折，三个细节既写了夜雪，也写了诗人的内心感受。

同李十一醉忆元九

花时同醉破春愁，醉折花枝作酒筹。

忽忆故人天际去，计程今日到梁州。

李十一是李建，是白居易和元稹的朋友。酒筹是饮酒计数的筹码，行酒令时的签条也叫酒筹。元稹到四川台县去办公事，白居易与李建在长安同游慈恩寺，一边饮酒，一边思念离开的朋友，就写了这首诗，想到他该到梁州了。最后一句把思念具体化了，表现的感情十分自然真切。

关于这首诗，有一个有趣的故事。白居易在诗中估计，他的朋友元稹某日到梁州，不仅日期对了，元还在同天做了一个梦，梦与白居易、李十一同游曲江和慈恩寺诸院，还写了一首诗："梦君同绕曲江头，也向慈恩院院游。亭吏呼人排去马，忽惊身在古梁州。"估计的日子和实到的日子相同；白李实游的地方和元梦游的地方相同，人也相同；两人的诗所用的韵部又相同——这些巧合实在令人十分惊异！名胜地曲池和慈恩寺是他们同游过多次的，他们有深厚真挚的友谊，大概是这些巧合的基础。

东城桂　（三首录一）

遥知天上桂花孤，试问嫦娥更要无？
月宫幸有闲田地，何不中央种两株？

嫦娥原是后羿的妻子，偷吃了仙丹，奔上月宫，这神话你们是早就听说过的了。吴刚砍月中的桂树，还有小白兔在一旁窥看，你们在月夜不是有时看到过吗？不知你们可有过诗人的妙想，问问嫦娥要不要在月宫中再种两株桂树？现在人可以在月宫登陆了，你们可以写一封信给嫦娥，请她答复诗人提出的问题。她既服过仙药，我想她一定还健在。

邻女

娉婷十五胜天仙，白日姮娥旱地莲。
何处闲教鹦鹉语，碧纱窗下绣床前。

娉婷，美好。姮娥即嫦娥。上二句写邻女貌美。后二句写邻女的活动。白描出天真无邪的少女形象。

夜筝

紫袖红弦明月中，自弹自感暗低容。
弦凝指咽声停处，别有深情一万重。

紫袖，写弹筝人的服装，代表弹筝的人。红弦指筝。首句所写的是一个美妆的女子在月光中弹筝。第二句写弹筝人的内心感受和黯然神伤的容貌，读者不难想象出她的悲酸史。第三句写弹筝人手指暂停拨弦，乐声短时停止，但是这一停却表现出无限深情。这正是《琵琶行》中所写的“别有幽愁暗恨生，此时无声胜有声”。

浪淘沙 （六首录一）

借问江潮与海水，何似君情与妾心？
相恨不如潮有信，相思始觉海非深。

诗的头二句是以女子的口吻设问；后二句自己作答：怨的是离别的丈夫不如潮水有信，没有按时归来，而自己对丈夫的相思与海水相比，后者并不比前者深。

薛涛 （785？—832）

长安（今陕西西安市）人，其父到蜀中做官，随往。后来她父亲病故，因家贫沦为歌伎。韦皋镇蜀，她常出入幕中，当时人称她为女校书。有才华，常与诗人元稹等唱和。她亲制深红小彩笺，人称薛涛笺。而今成都尚有薛涛井，传说是她制笺汲水处。我曾去参观过，可信的程度就难说了。

送友人

水国蒹葭夜有霜，月寒山色共苍苍。
谁言千里自今夕？离梦杳如关塞长。

水国，多水的地方，等于泽国。蒹，没有长穗的芦苇。葭，初生的芦苇。你们知道，中国有一部最早的诗集《诗经》，里面有一首诗就题为《蒹葭》，其中有这几句诗："蒹葭苍苍，白露为霜，所谓伊人，在水一方。"《送友人》头二句就是从这几句诗化出来的，写别友时的景色：天寒有霜，月光照耀着山和水上的芦苇，一片苍苍。末二句有不同的解释，我们采取一种：谁说从今晚起，我们就相隔千里呢？离别的梦魂无影无声，一直会追随到你所要去的遥远关塞！

春望词　（四首录一）

花开不同赏，花落不同悲。
欲问相思处，花开花落时。

欢乐或悲哀的时候，愿意有亲人在一处，是人情之常。这首小诗浅显易懂，借花开花落常见景象表达这种常态心理。

筹边楼

平临云鸟八窗秋，壮压西川四十州。
诸将莫贪羌族马，最高层处见过头。

筹边楼是大和四年（830），李德裕任剑南西川节度使时所建。李曾从吐蕃（即羌族）收复大片领土，筹边楼的兴建主要是为军事防守。楼的旧址在成都西郊。诗的首句写楼高，既入云霄，又达到鸟飞的高度。二句写的西川四十州指两府三十八州，楼高气象雄伟，可以俯瞰这些地方，起镇乱作用。可是李德裕调离后，汉军将军有时掠夺羌族马匹或杀害羌人，引起战乱，而又无力防守。诗的三四句劝诫将领莫再掠劫，因为从楼的最高处已经可以看到边城烽火，连成都也受到战乱的威胁了。薛涛写这首诗时已经年近半百，可是她还关心时事和人民的安危，这是难能可贵的。

李绅 （772—846）

无锡（今江苏无锡市）人。元和元年（806）进士。曾作《乐府新题》二十篇，白居易和元稹都有诗唱和，成为当时风气。可惜李诗已佚。

悯农二首

一

春种一粒粟，秋收万颗子。
四海无闲田，农夫犹饿死。

二

锄禾日当午，汗滴禾下土。
谁知盘中餐，粒粒皆辛苦。

唐代的农业技术虽然还不算高明，但全国没有荒芜不种的土地，农民应该能吃饱饭，饿死当然只是统治阶级苛征暴敛的结果。至于盘餐粒粒都是农民辛勤劳动的收获，似乎直到现在还不大被一些人所了解或重视。前些天报纸上不是还说，在有些大学的食堂里，糟蹋粮食的现象还十分严重吗？李绅的诗以一粒种子变为万颗米麦，农民在烈日下劳动流汗的具体事实赞扬劳动人民，谴责那些不劳而食，还糟蹋粮食的人，既有思想性，也有艺术性，我们读起来，仍然很能得到教益。

却望无锡芙蓉湖

丹桔村边烟火微，碧流明处雁初飞。
萧条落日垂杨岸，隔水寥寥闻捣衣。

却望，回头看。芙蓉湖在江苏无锡市西北。全诗只淡淡写故乡景色，但含蕴地表达了怀乡之情。

吕温 （772—811）

一说他是河中（今山西永济县）人，一说他是东平（今山东泰安县）人。贞元十四年（798）进士。刘禹锡和柳宗元都是他的朋友，他们都有才华。他赞成革新，失败后，因出使吐蕃被扣留过，未遭贬谪。以后仍然被忘被贬，死于任所。

戏赠灵澈上人

僧家亦有芳春兴，自是禅心无滞境。
君看池水湛然时，何曾不受花枝影。

这首诗题为“戏赠”，很有风趣。一般僧人持出世态度，但对大自然在春季展现的风光，并不是漠然，所谓“无滞境”。三四句的形象比喻很富诗情。

贞元十四年旱甚见权门移芍药花

绿原青垄渐成尘，汲井开园日日新。

四月带花移芍药，不知忧国是何人。

贞元十四年即公元798年，关中大旱，史书未加记载，唯吕温及韩愈诗中提及。权门是权贵人家。唐代将牡丹称为芍药花。绿色的平原和青色的耕地都渐渐因旱变成尘土了，农民天天汲井水灌溉，并开垦园圃。但是权贵人家却移植刚要开花的芍药，那还有谁为国事忧心呢？诗讽刺统治者只顾自己享乐，不关心民生。

柳宗元 （773—819）

河东（今山西运城）人。贞元九年（793）进士。贞元末为革新派王叔文所引用，王失败，贬永州司马，迁柳州刺史。主张文体革新，散文与韩愈齐名。

零陵早春

问春从此去，几日到秦原？
凭寄还乡梦，殷勤入故园。

零陵，今湖南零陵县，隋时为零陵郡，唐时改为永州。春天从永州出发，几天能够到长安地区？请春将自己的乡梦，殷勤带回故园。诗婉约表达希望从贬谪地返回长安。

与浩初上人同看山寄京华亲故

海畔尖山似剑铓，秋来处处割愁肠。
若为化得身千亿，散上峰头望故乡。

浩初是潭州（今湖南长沙市）人。和尚，敬称为上人。京华亲故，长安的亲友。诗写于柳州，地较为近海，海畔形容其地偏远，山当在柳州附近，峰尖似剑，所以能割愁肠。怎么样能将自身分割为千亿个，散布在诸峰顶上看望故乡呢？思乡情切，同上一首诗一样，不过幻想却更为奇特了。

酬曹侍御过象县见寄

破额山前碧玉流，骚人遥驻木兰舟。
春风无限潇湘意，欲采苹花不自由。

酬……见寄，答谢寄诗。侍御，侍御史官名简称。象县，今广西壮族自治区象县。破额山，今不可考，当是象县附近靠近柳江的山。碧玉流，指流过山前澄清如碧玉的江水。屈原作《离骚》，后人称他为“骚人”，以后即为诗人之意，这里指曹侍御。遥驻木兰舟，即停下所坐的船。传说鲁班曾刻木兰为舟，因此木兰舟成为船的美称，是指上好木头所做的船。第三句比较难懂，因为是化用柳浑《江南曲》诗意，诗写怀念久别情人，而实际已绝无相见机会，有典故的性质。骚人，屈原常在那里行吟的潇湘地方，屈原的不幸遭遇，都结合柳宗元自己的贬谪，引起无穷联想。采花相送是古人用以表示感情的习俗，但柳宗元因为被贬谪远地，还时遭人诽谤，恐牵连友人，所以连见面送花的自由也没有了。

江雪

千山鸟飞绝，万径人踪灭。
孤舟蓑笠翁，独钓寒江雪。

这首诗大概是柳宗元贬谪到永州（今湖南零陵县）时做的。他以后还被贬谪到更远的柳州。对一个唐代官吏来说，被贬谪到边远地区是一大不幸，一部分因为自己生活艰苦，但更多是因为不能施展自己的政治理想和抱负。诗人的心情当然很不愉快，但是他有极为坚强的性格、极为崇高的理想，不消极，不悲观，还尽力为人民做些好事，所以人民一直怀念他。你们看，鸟飞绝，人踪灭了，环境是够凄清的了。但在寒雪中一位老翁巍然不动，坐在孤舟上独钓！这形象不是令人肃然起敬吗？

元稹 （779—832）

河南河内（今洛阳市附近）人。贞元十年（794）进士。他与白居易友善，常相唱和，人常以“元白”并称。

行宫

寥落古行宫，宫花寂寞红。
白头宫女在，闲坐说玄宗。

行宫即洛阳行宫上阳宫，天宝末年，许多宫女被送到这里，孤独地变成“白头宫女”。诗的头两句写行宫荒凉，红花寂寞，已寓盛衰之感。三四句写宫女生活寂寞无聊，闲话玄宗时代轶事，一以自遣，一以吐露内心悲戚。宋洪迈在《容斋随笔》中说这首诗“语少意足，有无穷之味”，是说得很对的。

六年春遣怀（八首录二）

一

检得旧书三四纸，高低阔狭但成行。
自言并食寻常事，惟念山深驿路长。

二

伴客销愁长日饮，偶然乘兴便醺醺。
怪来醒后旁人泣，醉里时时错问君。

元稹元配妻子韦丛是元和四年（809）去世的，这是悼念她的组诗，元和六年（811）所写。这时元稹被贬官在江陵，处在这种孤苦的地位，回想起夫妻恩爱生活。这第一首诗是说翻阅旧信，就直抒胸怀写诗。前二句描写旧信高高低低，行宽行窄；后二句写的是内容：她说自己节食度日，觉得平平常常，更为关心的是丈夫在遥远的深山驿站，生活一定十分艰苦。文字十分浅显，只是一个生活细节，所表现的感情却很深挚。

次首诗首句写借酒消愁，愁就是怀念亡妻的悲痛。第二句写因为心有所感，偶然也喝醉。从下句可以看出这里也蕴含着伴饮朋友的同情。第三四句写醉里还呼唤亡妻的名字，仿佛她还活着，可见相爱之深，平时在心里闷积着，现在才有机会发作，无怪旁边的人感动得哭泣了。全诗没有明表自己悲哀的字，只写醉中呼名，旁人哭泣，这种简练含蓄的写法，比明铺直叙更有感动人的力量。

离思　（五首录一）

曾经沧海难为水，除却巫山不是云。
取次花丛懒回顾，半缘修道半缘君。

这也是悼念亡妻韦丛的诗。沧海的水既广且深，经历过它的人，就不把别的水放在眼中了。巫山的云，据传说为神女所化，极为美丽，见过它的人就看不中其他的云了。这两句诗隐喻诗人夫妻的爱情既深且美。第三句写偶在花丛漫步，懒得回头看望花朵，也就是见了别的女子也不动心。四句说明不动心的原因：学佛学道提高道德修养，对于亡妻念念不忘。

梦成之

烛暗船风独梦惊，梦君频问向南行。
觉来不语到明坐，一夜洞庭湖水声。

元和九年（814）元稹赴长沙，途中写了这首悼念亡妻韦丛的诗。风吹烛暗，独自在船上做了一个梦，梦到亡妻询问他南行情况，醒来默默坐到天明，终夜听着洞庭湖水声。梦醒独坐，默听涛语，深刻地表达了怀念深情。

闻乐天授江州司马

残灯无焰影幢幢，此夕闻君谪九江。
垂死病中惊坐起，暗风吹雨入寒窗。

我们已经讲到过，白居易贬官任江州（今江西九江市）司马（辅助刺史的低贱小官）。这是他直言进谏的结果。

影幢幢，是灯影摇晃不定。这一句和末一句写得消息当时和刚听以后的周围情况，惨淡凄凉。中二句写得消息时的内心感受，感慨悲伤，而这种心情只用“垂死病中惊坐起”一件具体行动表达，既含蓄而又生动。

得乐天书

远信入门先有泪，妻惊女哭问何如。
平常不省常如此，应是江州司马书。

接书就流泪，自然预示有不吉的事，所以妻子惊异，女儿哭问。使全家不安的，原来是江州司马来了信。前面说过白居易贬官任江州司马。元稹听到这个消息，曾写诗寄白表示悲伤慰问。这里所说的书，就是白接此诗后给元写的信。

白元的诗都是抓住一件平常具体事件信手写来，丝毫不加雕琢，而真挚感情自然流露。

嘉陵江　（二首录一）

千里嘉陵江水声，何年重绕此江行？
只应添得清宵梦，时见满江秋月明。

文字浅显，你们容易懂，不过感情，你们恐怕就不容易体会了。我先讲点自己的经验，你们权当故事听吧。我从沦陷的北平逃出后，先到嘉陵江畔北碚复旦大学教书，慢慢恢复了散步的习惯，便常沿着江岸散步，一天看着缓缓流动的江水，口占一首绝句，其中一句“斜阳帆影恋碧流”，就是写嘉陵江的。抗战胜利后回乡时，坐长途汽车顺嘉陵江岸颠簸前进，旅客们都怕翻车落到江里，我却“笑看嘉陵波溅珠”。我时时想旧地重游，但总未能实现。我读这首诗特别觉得亲切，同这点经验很有关系。

贾岛 （779—843）

范阳县（今河北涿州市）人。早年曾为僧，法名无本。后以诗进谒韩愈，韩劝他还了俗。岛以苦吟著称，自成一家风格。

寻隐者不遇

松下问童子，言师采药去。
只在此山中，云深不知处。

这首小诗实际是用问答体写的，首句问得明确，二三四句一步一步深入的答话隐含问语，这样写，文字精炼，表达访问人对隐者的感情也逐渐深化：采药外出，意欲寻求，而只知在此山中，却又不知确在何处，令人无限惆怅。山既深幽，隐者又过着远离尘嚣的生活，就意在言外了。

口号

中夜忽自起，汲此百尺泉。
林木含白露，星斗在青天。

口号是口占的意思，意为不假思索，随兴写来。这类诗的内容往往只是一个生活细节或瞬间的感受。

杨敬之 （生卒年代不详）

元和初年进士，在当时是个有地位的人，仅存诗两首。

赠项斯

几度见诗诗总好，及观标格过于诗。
平生不解藏人善，到处逢人说项斯。

这首诗一直为人传诵，因为表现了他的爱才敬贤的崇高品质。

项斯 （生卒年代不详）

江东人，开始并无人知道他。杨敬之既爱他的诗，也更爱他的为人，赠了他上一首诗。项的科举及第，与杨的推崇不无关系。项斯的诗，看来并无特殊才华。我们在这里顺便选读一首：

江村夜泊

日落江路黑，前村人语稀。
几家深树里，一火夜渔归。

不过他的标格（风度和品德）更被杨敬之赏识称赞。两个人都很令人钦佩。首句“日”又作月。

刘采春 （生卒年代不详）

淮甸（今江苏淮安淮阴一带）或越州（今浙江绍兴）人，伶工周季崇之妻，歌唱为元稹所赏识，元有《赠刘采春》一诗。

啰唝曲 （六首录二）

一

不喜秦淮水，生憎江上船。
载儿夫婿去，经岁又经年。

二

那年离别日，只道住桐庐。
桐庐人不见，今得广州书。

《啰唝曲》，又称《望夫歌》，有盼远人归来之意。秦淮即秦淮河。生憎，最憎恨。儿是少妇自称。夫婿，丈夫。

桐庐，今浙江桐庐县。离别时只说去桐庐，来信却从广州寄出，怨丈夫行踪不定，越走越远。

两首诗语言朴实，富有民歌风味。据说刘采春唱此曲时，听的人往往泣不成声。

李贺 （790—816）

福昌（今河南宜阳县）人。他虽少时即以乐府知名，却处在政治腐败的情况下，生活贫困不堪。诗能反映社会情况，绝句尤多不平之鸣。意境风格别树一帜。

马诗 （二十三首录二）

一

大漠沙如雪，燕山月似钩。
何当金络脑，快走踏清秋。

二

武帝爱神仙，烧金得紫烟。
厩中皆肉马，不解上青天。

大漠，沙漠。沙被月照，色白如雪。燕山，燕然山。月是新月，形如钩，此处是指一种武器（弯刀）。二句实写塞外战场情况，引起下两句：什么时候可以配上金络脑（金制的马笼头），新秋在沙场上奔驰呢？大漠燕山当指幽州蓟门一带，是藩镇为祸最凶的地方，所以诗有现实感。

汉武帝（借指唐帝）好神仙，想以炼金术炼出长生不老的丹药，结果只冒几股紫烟就完了。厩中所养的马都是平凡的马，不能像天马一样，有上天的本领。这是比喻唐统治者不能用人唯贤，当权者都庸庸碌碌，尸位素餐，把国家治理得一塌糊涂。这也是针对现实的讽刺诗。

南园　（十三首录三）

一

寻章摘句老雕虫，晓月当帘挂玉弓。
不见年年辽海上，文章何处哭秋风。

二

长卿牢落悲空舍，曼倩诙谐取自容。
见买若耶溪水剑，明朝归去事猿公。

三

花枝草蔓眼中开，小白长红越女腮。
可怜日暮嫣香落，嫁与春风不用媒。

南园是李贺福昌昌谷故居读书的地方。寻章摘句，读书时只搜寻摘取文章词句。雕虫，古人指作文赋诗为雕虫小技，是谦语。首二句说一辈子读书学雕虫小技，直到破晓的下弦残月像玉弓一样悬在帘前。三句的“辽海”指唐代河北道属地，那时藩镇兵变，宪宗多次讨伐皆败。在这种情况下，唐统治者重武轻文。文士无用武之地，无处用文章“哭秋风”。也就是对时事表示悲痛，并抒发自己的感慨。

第二首诗既运用了典故，又运用了神话，二者都运用得很灵巧，达到了用艺术手法论世述怀的双重目的。长卿是司马相如的字，虽然富有文学才华，却终生穷困潦倒（牢落），家徒四壁（空舍）。曼倩是东方朔的字，为不敢得罪汉武帝，出言只采取诙谐态度，自保其身。李贺用他们的情形自况。见买，打算买。若耶溪水剑，用了一个神话：相传春秋时越王勾践途中遇一老翁，自称袁公，勾践让他与一善舞剑的女子用竹竿比比剑术，比后袁公飞到树上化为白猿。他的剑术很高明。关于若耶溪（在浙江绍兴境内）剑，也有一个传说：春秋时，有个欧冶子，用若耶溪水底的铜铸剑，锋利著名。这两句是述怀：打算买一柄若耶溪水剑，明天去向袁公学习剑术，也就是要弃文习武。壮志难伸，慷慨而不失豪爽。

末一首诗表示惜花、伤春，也抒写内心的伤感。一二句写园中木本和草本的花盛开，颜色红多白少，像越女的腮一样美丽。三四句写可惜到了傍晚，鲜美的花朵（嫣香）都落尽了。第二句将盛开的花比作越女，落花已红色衰败，嫁不用媒，只好一任春风摆布了。少壮怀才不能发挥作用，时光飞逝，不就是像落花一样吗？

卢仝 （795？—835）

范阳县（今河北涿州市）人。韩愈爱他的诗，诗多讽刺时政，掊击宦官。后因宿宰相王涯家，因“甘露之变”被杀害。

山中

饥食松花渴饮泉，偶从山后到山前。
阳坡软草厚如织，因与鹿麛相伴眠。

阳坡，向阳的山坡。厚如织，草厚像褥。麛，音迷，小鹿。诗写隐居闲适生活。

刘叉 （生卒年代不详）

河朔（今河北一带）人。性刚勇，因酒杀人亡命，被赦才折节读书。后投韩愈，因与客争，出走不知所终。

姚秀才爱予小剑因赠

一条古时水，向我手心流。
临行泻赠君，勿报细碎仇。

首句把剑比作水，古时水即古剑。第二句因而用“流”写剑光闪闪。三句的“泻”也从水的比喻来，泻赠就是赠剑。末句勉励友人莫因小事而用剑报仇，言外要他杀巨奸或建大功。

偶书

日出扶桑一丈高，人间万事细如毛。
野夫怒见不平事，磨损胸中万古刀。

扶桑，神树名，相传太阳从那里出来，诗首句写日出。第二句写太阳一出，人间就多事了。野夫，在野的人，不任官职的人，是诗人自称。不平事泛指一切坏现象，上自腐败朝政，下至人间邪恶。末句写得十分痛切奇特：他看到这些恶劣现象不能有所作为，心中的正义感和除恶的壮志无法伸展，像古剑一样被磨损了。

施肩吾 （生卒年代不详）

洪州（今江西南昌市）人，一说睦州分水（今浙江桐庐西北）人。元和十年（815）进士。隐居洪州西山。

幼女词

幼女才六岁，未知巧与拙。
向夜在堂前，学人拜新月。

这首诗借拜新月一件小事，写幼女天真憨态，景真情真，诗的风格纯朴自然，同幼女姿态一样引人喜爱。向夜，天傍晚。拜新月，古代妇女见新月礼拜，私诉心愿或祈福。

望夫词

手爇寒灯向影频，回文机上暗生尘。
自家夫婿无消息，却恨桥头卖卜人。

爇，点燃。向影频，常常顾影自怜。回文机，织回文锦的织机。回文，诗词字句回旋往返阅读，意义都可以通，有时这种诗可以织在锦上，寄人以表相思。机上生尘，因久已不用。丈夫没有消息，并不责怪他，却恨卖卜人算卦不灵。这种迁怒别人的情形是生活中常有的，表达了因思深问卦，卖卜人讨好安慰，结果更为失望等一连串心理情态，使抒情色彩贯通全篇。

夜笛词

皎洁西楼月未斜，笛声寥亮入东家。
却令灯下裁衣妇，误剪同心一片花。

东家，东边的邻家。灯下裁衣妇听到笛声，思念远戍边疆的丈夫，错误地剪出表示恩爱的同心花。这首诗构思奇特，不落俗套。

喜友再相逢

三十年前与君别，可怜容色夺花红。
谁知日月相催促，此度见君成老翁。

老友重逢自然可喜，但岁月使人衰老又不免可悲。喜悲的感情都是很真挚的，诗如实写出，平易而有感染力。

张祜　（？—859）

清河（今河北清河县）人，一说南阳（今河南南阳县）人。令狐楚表荐他，但元稹阻止，因归隐。

宫词　（二首录一）

故国三千里，深宫二十年。
一声《河满子》，双泪落君前。

这首诗有几个小故事，我给你们讲讲吧。“河满子”原来是个歌者的名字，据白居易在一首诗的自注中说，他在临刑时请用此曲赎死，皇帝未准。但歌曲却传下来了，还有以“河满子”命名的舞曲。另有一个故事说，唐武宗病得要死时，歌伎孟才人得到允许，为他唱《河满子》，不料她气绝身死。又一说是，武宗想要她殉葬，她唱《河满子》时突然死去了。

诗中的故国是故乡的意思，离宫廷有三千里，她被选入深宫已经有二十年之久了。离乡远，入宫久，她的生活一定很凄惨，她的心情一定很悲痛。一唱歌就声泪俱下，不用其他文字描写，她的全部悲惨生活史也就够引起读者的悲叹了。

赠内人

禁门宫树月痕过，媚眼惟看宿鹭窠。
斜拔玉钗灯影畔，剔开红焰救飞蛾。

此处“内人”，意为“宫女”。表面看来，她的生活还很闲适，并无什么可怨之处似的，月下看看鸟巢，拔钗救救飞蛾。但是略一想想，她住在门禁森严的宫廷里面，在黯淡的月光下，无事可做，无景可观，无人可谈，冷冷清清，看看窠里的鸟，不免联想到家和伴侣，感到自己的孤独寂寞。进到屋里，看见飞蛾扑火，不免联想到自己的命运和处境，出于同情，拔钗救它，是一种可怜的自我安慰，这就比直接描写宫怨的诗更有韵味了。

杨花

散乱随风处处匀，庭前几日雪花新。
无端惹着潘郎鬓，惊杀绿窗红粉人。

柳絮被风吹飞各处，庭院里仿佛铺了一层白雪。有些柳絮不知怎的吹上人的双鬓，使绿纱帘内的红粉佳人大吃一惊，以为他的鬓毛斑白了。这首即景小诗颇有情趣。

朱庆馀 （生卒年代不详）

越州（今浙江绍兴县）人。宝历二年（826）进士，仕途不得意，曾客游边塞。与张籍、贾岛等交游。

宫词

寂寂花时闭院门，美人相并立琼轩。
含情欲说宫中事，鹦鹉前头不敢言。

花时本是百花盛开，春光正好的时候，而用“寂寂”形容，已可见宫人孤寂，院门又紧闭，生活的凄苦就可知了。二句写两个宫女并立在装饰华丽的走廊里面，似乎将惨淡气氛冲淡一些。但三四句一转一结，却把她们的悲苦生活，形象地活写出来了，含意极为深刻。在鹦鹉前面都不敢一吐心曲，真令人悲叹：人间何世！

闺意献张水部

洞房昨夜停红烛，待晓堂前拜舅姑。
妆罢低声问夫婿，画眉深浅入时无。

用夫妻爱情关系比喻多种社会关系，是中国古典诗歌常用的表现方法。这首诗就是一例。张水部是水部侍郎（官名）张籍，他以诗知名，又乐意提拔后进。朱庆馀献此诗给张，问画眉是否入时，是问自己的诗是否会中张和主考人的意。

洞房是新婚夫妇所住的屋。停红烛，使红烛不熄灭，点燃到破晓。舅姑，公婆。汉代有个张敞为妻子画眉，传为佳话。

抛开比喻不说，作为“闺意”阅读，这首诗也是很优美的。

陈去疾 （生卒年代不详）

侯官人，元和十四年（819）进士。

西上辞母坟

高盖山头日影微，黄昏独立宿鸟稀。
林间滴酒空垂泪，不见丁宁嘱早归。

日光微弱，宿鸟稀疏，黄昏时刻的气氛十分凄凉，这时辞拜母坟，心情已够悲伤。滴酒垂泪，母亲叮咛早归已不可能，悲伤之情就更不难想象了。

崔郊 （生卒年代不详）

只知他是元和年间秀才，从下面一首诗中略知他的生平，因为诗中所写大概是实际发生过的事。崔郊的姑母有一婢，美姿色，郊爱她，而婢被卖给有权有钱的人家了。以后偶然与婢相遇，赠诗为主人看见，召见郊，使婢与他同归。

赠婢

公子王孙逐后尘，绿珠垂泪滴罗巾。
侯门一入深如海，从此萧郎是路人。

首句写权贵人家的子弟见到美女就要追逐夺去。第二句用了一个典故：晋石崇有个宠妾名绿珠，孙秀仗势向石崇索要她，石因拒绝而被捕入狱，绿珠坠楼身死。以后绿珠即作有节操的美女代称。第二句暗示美女被劫的悲痛。侯门指有权有势的人家，被劫去后很难出来。萧郎本指梁武帝萧衍，以后泛指女子所钟情的男子。三四句实斥责权贵者荒淫残酷，并不是指责女子忘情。

徐凝 （生卒年代不详）

睦州（今浙江建德）人，元和中官至侍郎，存诗一卷。

忆扬州

萧娘脸下难胜泪，桃叶眉头易觉愁。
天下三分明月夜，二分无赖是扬州。

这是忆人诗。南朝以来，诗词中男子所爱的女子常被称为萧娘，女子所爱的男子则被称为萧郎。桃叶是晋王献之的爱妾。这里萧娘和桃叶都借指诗人所怀念的女子。首二句描写她离别时的愁眉泪脸，回忆时更觉得她意重情深，自己的离愁也就意在言外了。怀着这种凄伤离愁，原想看看明月来排除，不意更增加了离愁，便觉得明月“无赖”而可憎；但明月也曾照耀过他们的离别地扬州，“无赖”二字便有了亲昵的意味了。

雍裕之 （生卒年代不详）

只知他为贞元（785—805）以后的诗人，存诗一卷。

江边柳

袅袅古堤边，青青一树烟。
若为丝不断，留取系郎船。

第一句写柳的袅娜姿态，第二句写柳的苍翠颜色。三四句因景而生奇想，愿柳丝不断，系住将要开行的郎船。折柳赠别，是诗中老调，柳丝系船，却就是推陈出新的艺术手法了。

杜牧 （803—852）

京兆万年（今陕西省西安市）人。大和二年（828）进士。他为人刚直，愤朝廷荒淫，反藩镇割据，斥吏帅昏懦，忧边疆多事。诗与李商隐齐名，世称“小杜”，以别于杜甫。

赠别 （二首录一）

多情却似总无情，惟觉樽前笑不成。
蜡烛有心还惜别，替人垂泪到天明。

樽，酒杯。头两句的大意是：看来仿佛无情，其实是多情的，因为在离别时面对酒杯，丝毫没有笑容，惜别情深。三四句写“蜡烛有心”，“替人”流泪，而人却并不流泪，表面又似无情，而黯然神伤，含情脉脉，惜别之情就更深了。

有寄

云阔烟深树，江澄水浴秋。
美人何处在？明月万山头。

头两句写景：天空广布云彩，树隐在烟霭深处，江水澄清，水上一片秋色。美人指所思念的人，不知在什么地方，只有照耀万山头的明月清辉可以共赏。第一句的“树”一作“处”，那就是江水的周围环境了。

盆池

凿破苍苔地，偷他一片天。
白云生镜里，明月落阶前。

这首诗浅显易懂，但很有情趣。他的想法和诗的写法都妙趣横生。我家后园虽小，你们也可以仿他的办法掘一个盆池，把明月白云收进盆里。若在池里养几尾金鱼，种几株芙蓉，那就更锦上添花了。你们还记得李白的诗句“清水出芙蓉”吗？

齐安郡后池绝句

菱透浮萍绿锦池，夏莺千啭弄蔷薇。

尽日无人看微雨，鸳鸯相对浴红衣。

池塘里长满了菱角和浮萍，池塘好像是一片绿锦。池边种着蔷薇，枝上有黄鹂歌唱不休。这是有声有色的美丽图景，但总的气氛是幽静的。第三句尤其加强了幽静，天下着微雨，又没有一个人观看。我们在北京多次看到过鸳鸯并浮在水面，觉得已经是很够美观的了，但还无福见到它们相对浴红衣，诗人的描绘引我们进入更美的境界。鸳鸯容易引起恩爱的联想，在无人而下着微雨的天气，引起人孤寂之感是很自然的。这里运用的融情于景的艺术手法很值得品味。

南陵道中

南陵水面漫悠悠，风紧云轻欲变秋。

正是客心孤迥处，谁家红袖凭江楼。

南陵，今安徽南陵县，唐代属宣州，杜牧曾在宣州做过官。首句写水静流长。二句写风吹浮云，有点秋凉的意味了。这一轻微变化容易引起旅愁。正在客心感到孤寂邈远（迥）的时候，却见到一位妇女（红袖）扶楼栏遥望。这自然会在旅客心上加愁。这首富有诗情画意的诗，多次被画家绘画，并不是偶然。

山行

远上寒山石径斜，白云生处有人家。
停车坐爱枫林晚，霜叶红于二月花。

最能表现美丽秋色的，恐怕莫过于枫叶了。诗人先写斜曲石铺的小路，再写白云生处的人家，一幅清幽的画面就展现在读者眼前了。“坐”是因为的意思，爱黄昏时枫林，因而停下车来凝视，见到经霜的枫叶比二月的花朵还要红艳！我们仿佛听到诗人惊喜的欢呼。抒情的只有一个“爱”字，爱的深度就用不着其他的文字形容了。

秋夕

银烛秋光冷画屏，轻罗小扇扑流萤。
天阶夜色凉如水，坐看牵牛织女星。

一说这首诗是王建所作，诗中的字，各本也多不同，“银烛”或作“红烛”，“天阶”或作“瑶街”或“天街”。这种情形在别人的诗中也是常有的，只是意思不太悬殊，我们采用一个也就可以了。“银烛”是白色蜡烛，“冷”似以形容“画屏”较好。“轻罗小扇”自然使人联想到失宠的妃后，这里写的是宫女。“天阶”是皇宫内的台阶，更肯定了女主人公的身份。“坐看”一作“卧看”，首句写的是室内，二三句写的是室外，若女主人公先自室内到室外，再从室外到室内，自然可用“卧”，要不然，就只能用“坐”了。一三句的“冷”“凉”点明凄清的气氛，“坐”或“卧”两种动作和注视双星牛郎织女，引起神话的联想，女主人公的心情就表达得含蕴而又灵活了。

赤壁

折戟沉沙铁未销，自将磨洗认前朝。

东风不与周郎便，铜雀春深锁二乔。

赤壁是三国时著名战场，遗址在今湖北省武昌县西南赤矶山。诗的头两句说埋在沙里折断的戟铁尚未销蚀，自己动手把它磨光一看，认出是前朝（三国时代）的东西。你们读《三国演义》知道，魏的曹操和吴的周瑜（与汉刘备同盟），在赤壁打仗，周瑜乘东南风将曹操的兵船烧了，曹军大败。至于孔明祭东风，虽然写得神乎其神，那却只是小说虚构。诗的三四句也是诗人的假设，假如东风不给周瑜方便，春光明媚时，曹操就要把二乔锁在铜雀台里了。大乔和小乔是姐妹两位美女，大乔嫁了孙策，小乔嫁了周瑜。铜雀台是曹操建来自己寻欢作乐的，故址在今河北临漳县。若是吴周瑜打败，曹操便要把二乔俘虏去，加入铜雀台里舞女歌伎的队伍里了。这样写，为这首诗增加了微讽幽默的风趣。

过华清宫绝句（三首录一）

长安回望绣成堆，山顶千门次第开。
一骑红尘妃子笑，无人知是荔枝来。

这首诗头两句写华清宫所在地骊山景色：从长安回头一看，骊山是一团锦绣，山顶上许多宫门次第打开。三四句写的是具体小事，一马飞驰前来，扬起红色尘土，引起杨贵妃笑了，只有她知道是荔枝到了。杨贵妃爱吃鲜荔枝，唐玄宗为讨她的欢心，特别让驿站马匹从四川涪陵（唐时涪州）把荔枝送到长安，途中约飞奔七天。这就深刻地揭露了封建王朝的统治者骄奢淫逸，不顾人民生死的腐朽罪恶生活。

泊秦淮

烟笼寒水月笼沙，夜泊秦淮近酒家。
商女不知亡国恨，隔江犹唱《后庭花》。

秦淮，流经南京的秦淮河。首句写河，烟霭罩着河面，月光照着沙。二句写船停泊在河上，靠近酒家。商女，歌女。亡国，陈后主（叔宝）生活荒淫，不理朝政，亡了国。《后庭花》是《玉树后庭花》曲的简称，陈后主作，常奏此曲，与嫔妃宫女饮酒作乐。末句写秦淮舟中的商女和听歌的官僚贵族不记隋军在江北，陈随即灭亡的往事，还喜唱乐听那个亡国的靡靡之音。诗既咏史，又有讽刺时事的意思。

题村舍

三树稚桑春未到，扶床乳女午啼饥。
暗销潜铄归何处？万指侯家自不知。

首句写春天未到，三棵小桑树尚未发芽生叶，是农家青黄不接更为具体的表现。三句问农民血汗所得都无形中销熔或消损到什么地方去了呢？“万指侯家”，指奴婢众多的权贵人家，他们当然不知道。实际是说是权贵人家收括的结果。

杜牧是既懂兵法，又很有政治理想的人，从我们所选讲的几首诗可以看出，不能只看到他“十年一觉扬州梦”的一面。

杨忆（生卒年代不详）

夜宿山寺

危楼高百尺，手可摘星辰。
不敢高声语，恐惊天上人。

写山上高楼，从怕惊天上人着笔，是此诗的妙处。

唐温如 （生卒年代不详）

他只存诗一首，不知道他的生活经历。

题龙阳县青草湖

西风吹老洞庭波，一夜湘君白发多。
醉后不知天在水，满船清梦压星河。

龙阳县是今湖南汉寿县。青草和洞庭二湖相连，前者在南，后者在北。洞庭之名较著，往往为二湖的合称。这首诗头两句都是写秋景，写法都很奇特。第一句写西风把洞庭湖水都吹老了，引人想到李贺的诗句："天若有情天亦老。"传说舜的二妃，在舜死于苍梧之野以后，在湘江溺死，即二句所说之湘君。虽已为神，也是像天一样，可以变老的，所以凄凉的秋景，也使湘君增添了白发。三句写诗人泛舟游玩醉酒，四句写酒醉入梦，两句合起来写梦中和梦醒时的幻觉和幻境：仿佛满载着清梦的船是压在天河的水面上呢。

方干 （809？—873？）

新安（今浙江建德县）人，徐凝授以诗律，始举进士第。咸通中不得志，隐居镜湖以终。

题君山

曾于方外见麻姑，闻说君山自古无。
元是昆仑山顶石，海风吹落洞庭湖。

方外，世外。麻姑，古代仙女。说从仙女听来这个神话，自然中见奇特。

雍陶 （805—？）

成都人。大和末年（835）中进士。多次越秦岭，经三峡，漫游塞北江南，写旅游诗不少。诗友中有张籍、王建、贾岛。

状春

含春笑日花心艳，带雨牵风柳态妖。
珍重两船堪比处，醉时红脸舞时腰。

春光一般是不容易形容的，这首诗却描写得比较好。首句写阳光下百花怒放，“含”“笑”把春形象化了，二句写杨柳在风雨中摆动，仿佛也是春牵带的结果。三四句把春比作微醉曼舞的女郎就不显得突然了。

题君山

烟波不动影沉沉，碧色全无翠色深。
疑是水仙梳洗处，一螺青黛镜中心。

这首诗写君山在洞庭湖中的倒影。首句写洞庭湖波平浪静，君山的影在水中显得更稳定。二句写湖水的碧色被君山的翠色遮掩住了。三句联想到关于舜的二妃的神话传说：水仙即化为湘水女神的二妃，疑这里是她们梳洗的地方。末句写倒影是湖水中心二妃的青色螺髻，就很自然了。

李商隐 （812？—858）

怀州河内（今河南沁阳县）人。最初受令狐绹赏识，开成二年（837）进士。王茂元爱其才，选为婿。由于令狐家党牛僧孺，而王茂元党李德裕，是历史上有名的牛李党之争。这桩亲事使他在政治上受到影响，很不得意。但是夫妇情笃，见之于诗。他的诗与杜牧、温庭筠齐名。

乐游原

向晚意不适，驱车登古原。
夕阳无限好，只是近黄昏。

乐游原，在长安城南，立在原上，可俯瞰全城内部，是唐时登临胜地。意不适，心中郁郁不乐。古原即乐游原，头两句说傍晚心情不畅快，便坐车到乐游原去。下两句写见到夕阳极为好看，只可惜时近黄昏，好景不久就要消失了。这首诗虽有伤好景不长的情绪，也有爱生活、恋人间的热情，二者并不矛盾。

夜雨寄北

君问归期未有期，巴山夜雨涨秋池。
何当共剪西窗烛，却话巴山夜雨时。

《万首唐人绝句》题此诗为《夜雨寄内》，别的本子多作《夜雨寄北》。有人认为后题较确，因为此诗作于李妻王氏去世之后。不过从诗所表现的感情看，寄内似较为确切。

巴山泛指蜀地，常常夜雨，写的是实际情况。已是秋天，池里都满了水，旅人易有乡愁，妻子又来信询问归期，而又不知何时才能归去，乡愁当然就倍增了。为聊以自慰并安慰亲人，只有寄希望于将来了。“何当”是什么时候能够的意思，什么时候能够回到家里，在西窗剪烛夜谈，谈谈当年巴山夜雨时的思想情绪呢？问归期而未有期，又把期望寄托在将来，写诗时写到巴山夜雨，将来也谈巴山夜雨，这就把目前和将来联系起来，显得情绪委婉缠绵，有无穷的意味。

诗人所写的诗，若与自己的经验有吻合之处，就会觉得格外亲切。抗日战争后期，我在四川白沙住了两年，常常遇到巴山夜雨的情况，奶奶住在安徽故乡常来信问我归期，我就把这首诗抄寄给她看，因为这首诗仿佛是替我写的。

当然，诗人的经验往往是我们没有的，但只要诗好，我们不难心领神会。这样，我们的生活也就会因读诗而丰富了。好诗能启发我们发觉生活中的真善美，纯化我们的心灵。读好诗对我们有许多益处。希望你们善于吸收诗的营养，使生活逐渐达到真善美的境界。

忆梅

定定住天涯，依依向物华。
寒梅最堪恨，常作去年花。

定定，动不了。首句说住在离家很远的地方，再也走不动啦。第二句说春天百花盛开，又令人依依难舍。在乡愁中强自宽慰，感情并不矛盾。从眼前的物华固然可以得到些许安慰，但一忆起故乡的寒梅，总不待我归来，径自开放，待我忆及，已是早已谢去的去年花了，所以堪恨。诗人在外很不得意，所以三四句除加重表现乡愁外，还隐含着身世之感。

天涯

春日在天涯，天涯日又斜。
莺啼如有泪，为湿最高花。

春天流落在天涯，又时近黄昏，诗人感到无限凄凉悲苦，“天涯”两字重用。更增加了忧伤气氛。三四句自寻慰藉，希望多情的黄莺，将泪洒在最高枝的花上，既有惜春暮花残，时光易逝之感，也隐含对自己处境的悲叹。

端居

远书归梦两悠悠，只有空床敌素秋。
阶下青苔与红树，雨中寥落月中愁。

这是诗人远居异乡，思家怀妻的诗。诗人既接不到家信，也不能在梦中回家一晤，自然感到十分孤寂，只能用空床对付秋肃的侵袭，就是具体的表现。阶下青苔和院中红树本来可以把秋天点缀得十分美丽，但诗人主观的情绪既然是孤寂忧伤的，它们在秋雨中或月光下，也就变成寥落和悲愁的了。景随情变，提高了前两句的艺术效果。

悼伤后赴东蜀辟至散关遇雪

剑外从军远，无家与寄衣。
散关三尺雪，回梦旧鸳机。

这是悼亡的诗。李商隐妻王氏，于宣宗大中五年（851）突然病逝，诗人极为悲痛。这年冬天，他“赴东蜀辟”，就是应征召去东川幕府做事，也就是首句所说的到剑阁之外的地方“从军”。散关在今陕西宝鸡县西南，到这里遇雪天寒，而妻亡家中无冬衣寄来。但在梦中却见到旧时的织布机，妻子仿佛还在机旁呢。丧妻的悲痛，旅途的艰苦，梦中的幻乐，醒后的凄伤，都委婉含蓄地表达得极为深刻。

瑶池

瑶池阿母绮窗开，黄竹歌声动地哀。
八骏日行三万里，穆王何事不重来。

古代神话中有个西王母，即阿母，她所住的地方是瑶池。她打开雕花的窗子外望，大概是希望穆王前来。据《穆天子传》记载，周穆王遇见西王母，被在瑶池设宴招待，相约三年后再来，但他未践约前来相见。她开窗只听到《黄竹》哀声震地。穆王南游遇大风雪，有人冻死，他作了三首歌哀悼。三四两句似乎是在西王母心里引起的疑问：穆王有八匹骏马（赤骥、盗骊、白义、逾轮、山子、渠黄、骅骝、绿耳），能日行三万里，原是很容易来的，而竟不来，或许他已经死了吧？西王母是神仙，又很想再见穆王，但并没有什么长生秘诀可以传授，服药求仙显然是荒谬的。《黄竹》哀声暗示“路有冻死骨”，也是对于封建王朝昏庸统治者的严厉谴责。

贾生

宣室求贤访逐臣，贾生才调更无论。
可怜夜半虚前席，不问苍生问鬼神。

诗表面写的是汉文帝的事，实际矛头是对唐末期几个皇帝，他们毫不关心人民生活，只知服药求仙，妄想长生，在世一天，就吸取民脂民膏，尽情享乐。

宣室是西汉未央宫前殿的正室，文帝在这里召见被贬逐到长沙的贾生，即才华出众的贾谊。访逐臣就是向被贬的臣询问事情。光从这两句看，文帝似乎真在“求贤”了，贾谊也确是贤才。第三句委婉一转，“可怜”意为“可惜”；“前席”是从座席上向前移动，表示对谈话很感兴趣，坐近些以便听得更清楚，但这动作“虚”，即并无意义，因为文帝并不问“苍生”（老百姓）如何，而只问鬼问神。诗写得委婉含蓄，末句讽刺就显得格外有力。

隋宫

乘兴南游不戒严，九重谁省谏书函。
春风举国裁宫锦，半作障泥半作帆。

隋宫，指隋炀帝杨广在江都所建的行宫。一云隋堤。杨广曾三次南游江都，首句写他游兴一发就南游，错误地估计国情民心，以为天下太平，民心归顺，所以不加戒备。二句进一步写他残暴骄横，杀了进谏劝阻他南游的人。九重，帝王所住的地方，指杨广。第三句春风指春耕大忙季节，而全国剪裁高级锦缎，为什么呢？第四句点明是用它们为马匹做遮尘土的障泥，并为游船做帆。他南游水陆并进，声势浩大。这首诗对荒淫昏庸的专制帝王揭露得十分深刻。

嫦娥

云母屏风烛影深，长河渐落晓星沉。
嫦娥应悔偷灵药，碧海青天夜夜心。

嫦娥又称姮娥，传说是后羿之妻，羿从西王母得不死丹，嫦娥偷食后奔入月宫，成为仙子。云母是一种矿石，成片状，透明可作屏风。烛影越来越暗越深，表明夜已晚。室外天河下降，黎明时星辰已将消失。居住在碧海青天月宫里的嫦娥，想来应该后悔偷吃仙药，夜夜心情凄苦，过寂寞的日子吧。对于这首诗的含意有多种不同的解释，我们可认为是借想象中的嫦娥寂寞，表现自己生活孤寂之感。

霜月

初闻征雁已无蝉，百尺楼高水接天。
青女素娥俱耐冷，月中霜里斗婵娟。

这首诗写深秋霜月争辉的夜景。首句写最初听到候鸟大雁远行的鸣声，已经没有蝉声了，形象地写深秋景象。第二句写从百尺高楼上远望天水相连，一片广阔的空间。青女是主霜雪的女神，素娥是月里的嫦娥，她们是霜和月的化身，都是能耐寒的。诗人把读者引向神仙世界，看她们“斗婵娟”，也就是较量姿色谁比谁美。霜月争辉的夜景，经诗人的魔杖一点化，就把读者引进仙境一般的奇妙胜地了。

为有

为有云屏无限娇，凤城寒尽怕春宵。
无端嫁得金龟婿，辜负香衾事早朝。

这是一首闺怨诗，以“为有”头二字标题循惯例，因为有些诗内容较复杂，难以用几个字作标题，就采用首二字作标题，或径作“无题”。全诗是说明怨的原因。云屏就是云母屏风，代表室内华丽装饰，无限娇指室内无限娇美的女主人。凤城，京城，指长安。春宵本来是由寒变暖的大好时光，为什么“怕”呢？三四句说明了原因。想不到嫁了高官（唐代三品以上官员可以佩戴称为金龟的金饰的龟袋），要抛开自己去早朝。这同王昌龄的诗句“悔教夫婿觅封侯”的意思相似。

日射

日射纱窗风撼扉，香罗拭手春事违。
回廊四合掩寂寞，碧鹦鹉对红蔷薇。

这也是一首闺怨诗，但女主人公的情思不用伤怨字眼描写，只用一二动作和环境景物渲染烘托，别具艺术特色。日光照射纱窗，微风吹动门户。春天已经过去，天气渐暖，女主人用罗巾擦手，若有所思。四合院里没有人影人声，只有绿色鹦鹉对着红色蔷薇，环境足够幽静美丽的了。女主人公不仅无心观赏，还要更加悲愁，读者不难想象。

早起

风露澹清晨，帘间独起人。
莺花啼又笑，毕竟是谁春。

这首小诗简单易懂，从“独”字可以知道所写的是一个孤独的女子。大好春朝，莺啼花笑，都与自己无关，她的心情如何就用不着用其他文字描写了。

温庭筠　（约 812—866）

太原祁（今山西省祁县）人。他是没落贵家子弟，行为放浪。他好讥讽权贵，终身很不得志，工于词章小赋，与李商隐齐名，人称“温李”。

瑶瑟怨

冰簟银床梦不成，碧天如水夜云轻。
雁声远过潇湘去，十二楼中月自明。

瑶瑟，饰有美玉的瑟。冰簟，凉席。首句从感觉上写，身觉席凉，不能入睡，因而做不成梦，思人之情已含蓄表达。二句从视觉写，看到一片青空上有轻轻浮云，夜景凄凉，离愁加深。三句从听觉写，联想到传说鸿雁栖息的潇湘地带，也许是怀念的人所在的地方，由近及远，离愁又进一层。十二玉楼原为传说中仙人的住所，这里指女主人公所住的闺阁，这时被月光照耀，美的夜景更进一步加深了离愁别恨。

过分水岭

溪水无情似有情，入山三日得同行。
岭头便是分头处，惜别潺湲一夜声。

分水岭，大概指今陕西略阳县东南的嶓冢山，是唐代入蜀交通要道。首句说无情的溪水似乎有情，这自然是诗人的想象。第二句说明三天与我同行是有情的明证，自然也只是诗人的设想，有情的倒只是诗人。这种将自己的感情移入其他事物是常有的艺术手法。嶓冢山分开的是汉水和嘉陵江，很长，要走三天。三四句写到岭头是同溪水分手的地方了，诗人当然有惜别之情，但也同前用艺术手法一致，将惜别之情用溪水“潺湲一夜声”表达，诗意就浓厚多了。

李群玉　（813？—860？）

澧州（今湖南澧县）人。性情旷达，喜吟咏自遣。早岁举进士不第，后为官不久又乞假归。

静夜相思

山空天籁寂，水榭延轻凉。
浪定一浦月，藕花闲自香。

天籁，自然界的声音。这首诗只写幽静的夜景，引人入胜。但诗人何所思呢，只由读者自己去体会。

汉阳太白楼

江上层楼翠霭间，满帘春水满窗山。
青枫绿草将愁去，远入吴云暝不还。

太白楼建在江边，高耸入云。从楼帘可以看到春水，从窗可以看到群山。三四句登楼远眺，愁思随着青枫绿草远去，直到长江下游古代吴国的领土。

北亭

斜雨飞丝织晓空，疏帘半卷野亭风。
荷花开尽秋光晚，零落残红绿沼中。

诗写晚秋景色，具体生动：早晨天空里斜飘着微雨，野风吹着半卷的帘。风雨残荷，如在目前，首句尤佳。向尽，将要落尽。残红，落花。

引水行

一条寒玉走秋泉，引出深萝洞口烟。
十里暗流声不断，行人头上过潺湲。

在中国南部山区，有时水源很远，在饮水和灌溉方面都有困难，居民巧妙地将竹筒打通，用来引水，“寒玉”指的就是这种竹筒。第一句就是说寒冷的泉水在竹筒里流动。山里的泉周围常有藤萝等植物丛生，泉水涌出时常有烟雾似的水汽。头两句将竹筒引泉水的情况用诗的语言美化了。

泉水在竹筒里流动是看不见的，但可以听到它的音乐似的潺湲（水流动的声音）。竹筒长达十里，有时要跨过山谷，人在山谷之间的路上行走，水声自然就在行人头上了。

诗人总是十分敏感的，又能用精美的文字，巧妙的艺术手法，将自己的感受表达出来，使读者分享生活的情趣，进入诗人所创造的优美崇高意境。他们所写的也许是他们生活环境的片断，也许是别人不注意的日常事物，也许是一瞬间的印象。他们仿佛有点石成金的魔术，一经他们点化，这些就成为丰富我们生活的珍品了。在唐人绝句中，这样的好诗不少，但抒写劳动人民智慧和创造力的并不很多，这首《引水行》就更值得我们注意了。

皮日休 （834—883）

襄阳人。咸通八年（867）进士。他曾参加黄巢义军，巢称帝，为翰林学士。巢兵败，被唐王朝所杀。诗多抨击苛政。

汴河怀古 （二首录一）

尽道隋亡为此河，至今千里赖通波。
若无水殿龙舟事，共禹论功不较多。

汴河即隋炀帝时开凿的通济渠，唐时名广济渠。一般人说隋开此河亡了国，可是现今因有此河，千里可以通航。若不是隋炀帝建豪华的上有殿堂的龙舟，三次水陆并进游玩东都，大量耗费民脂民膏，使大量劳动力不能从事生产，他的功劳可以同大禹相比。评人论事颇有新意。

金钱花

阴阳为炭地为炉，铸出金钱不用模。
莫向人间逞颜色，不知还解济贫无。

金钱花是一种草本植物，秋开黄色花似钱。诗的头两句说，用地作炉，燃烧阴阳二气，不用铸钱模型，就可以铸出钱来。诗人对它提出警告和质问：不要向人间卖弄颜色，显出骄傲神气，不知你能解救穷人的贫困吗？诗以奇特的构思表达关心民间的疾苦。

蔷薇

浓似猩猩初染素，轻于燕燕欲临空。
可怜细丽难禁日，照得深红作浅红。

这是一首咏物诗，首句写蔷薇的颜色，二句写蔷薇的姿态。三句写蔷薇经不住日晒，颜色渐渐由深红变浅了。

赵嘏（生卒年代不详）

山阳（今江苏淮安县）人。会昌四年（844）中进士。与杜牧友善。

江楼感旧

独上江楼思渺然，月光如水水如天。
同来望月人何在？风景依稀似去年。

思渺然，心中如有所失，感到怅惘。二句写登楼所见景色：月光照着水面，水天一色。三四句才点出思渺然的原因：风景和去年相仿，但去年同来玩赏的人却不知到什么地方去了。诗于淡雅中见怀友深情和人世沧桑之感。

悼亡二首

一

一烛从风到奈何，二年衾枕逐流波。
虽知不得公然泪，时泣阑干泪更多。

二

明月萧萧海上风，君归泉路我飘蓬。
门前虽有如花貌，争奈如花心不同。

第一首第一句写妻亡后自己情况，有如风中之烛。二句写妻亡时间。三四句写不敢在人前公然流泪，但独倚阑干，却就无法控制自己的眼泪了。语浅情深。四句“泪”或作“恨”。

次首第一句写景，二句写妻已入土，而自己则漂泊各地。门前虽有如花的女子，可是并不同心，不能安慰自己丧妻的哀痛。

皇甫松 （生卒年代不详）

睦州新安（今浙江淳安县）人，皇甫湜之子。工词，绝句多仿民间曲调，十分清新。

采莲子 （二首录一）

船动湖光滟滟秋，贪看年少信船流。
无端隔水抛莲子，遥被人知半日羞。

滟滟，波动。秋天湖水因船动而起微波闪光，采莲少女因贪看采莲少男，一任船在水上漂流。无端表示并无意识，也就是随手采下莲子向男方抛去，想不到远远地被人看到了，弄得半天不好意思。少女憨痴之态写得惟妙惟肖。

陈陶 （生卒年代不详）

剑浦（今福建南平市）人，曾游学长安，举进士不第，隐居终。

陇西行 （四首录一）

誓扫匈奴不顾身，五千貂锦丧胡尘。
可怜无定河边骨，犹是春闺梦里人。

《陇西行》是乐府《相和歌》瑟调曲，是写边疆战争生活的。陇西指今甘肃陇山以西地区。貂锦原是汉代羽林军的貂皮锦衣，这里指精锐部队。头两句写誓不顾生死的五千英勇战士，与胡兵作战全部牺牲了。无定河在陕西北部，是黄河的支流，因水流甚急，挟沙多，深浅无定，因得此名。后两句写征夫已是河边枯骨，可他的妻子还以为他活着，在梦中梦见他。

对这首诗有不同的理解或感受，我们用不着细谈。我只略谈自己的看法。一二两句写的虽是悲剧事件，给读者的印象却是英勇壮烈的。第三四句写得尤为细致哀惋，扣人心弦。我们强烈希望少妇在梦中得到安慰，不要幻灭，爱使死者活在活人心中，使悲剧升华到崇高的境界。全诗从战争的挽歌升华为人生的赞歌了。

刘驾（生卒年代不详）

江东人。大中六年（852）进士。七绝喜用叠字。

晓登成都迎春阁

未栉凭栏眺锦城，烟笼万井二江明。
香风满阁花满树，树树树梢啼晓莺。

未栉，没有梳头。万井，万户。二江，李冰为蜀守时辟二江，一为外江，由灌县经新繁县入成都，一为内江，由灌门经郫县入成都。诗写在迎春阁看望成都景色：烟霭笼罩着千家万户，望着两条江澄明清澈；处处花香鸟语，风景宜人。

曹邺 （816？—875？）

桂林阳朔（今广西阳朔县）人。大中四年（850）进士。绝句质朴，有乐府风。

官仓鼠

官仓老鼠大如斗，见人开仓亦不走。
健儿无粮百姓饥，谁遣朝朝入君口？

斗大的老鼠大吃官仓的粮食，大模大样地竟不怕人，而士兵缺饷，老百姓饿肚子，岂不是大大的怪现象？当然，这些斗大的老鼠比喻的是那些搜刮民脂民膏、肥私利己的官僚政客。他们一个个肥头肥脑，正像大如斗的老鼠。是“谁”派他们，允许他们这样做的呢？只问不答，是诗的含蓄处，读者自然体会得出：是他们的大小后台以及最高的统治者皇帝。

来鹄 （生卒年代不详）

豫章（今江西南昌市）人。举进士不第，客死外地。诗多讽刺。

云

千形万象竟还空，映水藏山片复重。
无限旱苗枯欲尽，悠悠闲处作奇峰。

这首诗把云的变化写得很好，责难无知的云在天旱时不关心人民的疾苦，诗人对人民疾苦的同情也就意在言外了。

新安官舍闲坐

寂寞空阶草乱生，簟凉风动若为情。
不知独坐闲多少，看得蜘蛛结网成。

诗写百无聊赖的心情，末句将这种心情具体化了。

高骈 （821—887）

幽州（今北京西南）人。世代为禁军将领。他曾镇压过黄巢起义军，后割据一方，终为部将所杀。

山亭夏日

绿树阴浓夏日长，楼台倒影入池塘。
水晶帘动微风起，满架蔷薇一院香。

从第一句我们想象到树茂日烈，天气炎热。从第二句我们想象到澄清河面并无荷萍，要不然，我们就见不到楼台倒影，也看不见水面绉起涟漪，好像水晶帘动，因而知道起了微风，从而闻到满院蔷薇香味了。夏日的景色都是形象化的，又有着微妙含蓄的联系，是这首诗的艺术特色。诗人不仅使读者看到夏日的风光画面，也感到从炎热渐转到微凉的舒畅了。

曹松 （生卒年代不详）

舒州（今安徽潜山县附近）人。他七十多岁始登进士第。诗学贾岛。

己亥岁 （二首录一）

泽国江山入战图，生民何计乐樵苏？
凭君莫话封侯事，一将功成万骨枯。

诗人在题下写明年代，显然表明所写的是特殊事件，这指的是黄巢农民起义（874—884）。唐王朝派高骈去残酷镇压起义，战争蔓延江南泽国，人民多遭杀害，既无法打柴（樵），也无法割草（苏）。“苏”有的本子作“渔”，亦可通。所以不必谈立军功做高官的事吧，因为要以成万枯骨作为代价呀。最后是有名的警句，指高骈这类人而言，不能作为全部反对战争的意义来领会。

罗邺 （816？—？）

余杭（今浙江杭州北余杭县一带）人。一说为罗隐之兄，又说为罗隐之弟。罗隐的诗名较大。

雁 （二首录一）

暮天新雁起汀洲，红蓼花开水国秋。
想得故园今夜月，几人相忆在江楼。

新雁，指归雁。汀洲，水中小洲。天晚归雁从小沙洲起飞。红蓼，水边植物，秋天开白中带红的花。自己见景闻雁起了乡思，却从反面写家里人在思念他。

贯休 （832—912）

俗姓姜，婺州兰溪（今浙江兰溪）人，七岁出家。记性好，读经过目不忘。性刚直，不阿谀权贵。晚年蜀王王建礼遇之，终于蜀。

马上作

柳岸花堤夕照红，风清襟袖辔璁珑。
行人莫讶频回首，家在凝岚一点中。

首句写夕阳中跨马所经过的地方，有花有柳。二句写清风吹拂，马缰绳十分干净。三四句请行人不要惊讶他频频回头看望，因为他留恋在浓厚的山岚笼罩中的家。诗既写了外景，也写了内心。

招友人宿

银地无尘金菊开，紫梨红枣堕莓苔。
一泓秋水一轮月，今夜故人来不来？

银地，佛家语，指禅院佛殿的地面，地既干净，地上还开着菊花。深秋梨枣都已经成熟了，有的还落在苔藓上面。还有明月照耀着一片清澄的秋水。三句写秋夜清景，末句表思念深情，而留有友人自选的余地。

罗隐 （833—909）

余杭（今杭州北余杭县一带）人。貌丑但聪敏，能诗，多讽刺。

雪

尽道丰年瑞，丰年事若何？
长安有贫者，为瑞不宜多。

这首诗标题为“雪”，而不是描写雪景，却是借雪发议论。头两句说，一般人都说瑞雪兆丰年，这是有些科学根据的农业生产总结。但是丰年又怎么样呢？诗人这一疑问含意十分丰富，因为在他那个时代，苛税和地租使农民即使在丰年也食难果腹、衣难蔽体，十分贫苦。三句说即使在长安，也有许多贫民，下雪天寒，也会冻馁而死。雪虽然“瑞”，还是别多下吧！末句充满了愤怒的激情和深刻的讽刺。

金钱花

占得佳名绕树芳，依依相伴向秋光。
若教此物堪收贮，应被豪门尽劚将。

金钱花，夏秋开花，色金黄，形圆如铜钱。一二句写它名美色艳，又有香味，一丛丛相依相偎，对着秋天开放。三四句才是诗的本意：这种花若是能够收藏的金钱，该被有钱有势的人家挖掘走了（劚将）。

蜂

不论平地与山尖，无限风光尽被占。
采得百花成蜜后，为谁辛苦为谁甜。

头两句写蜜蜂在平地和高山上占领无限风光，仿佛在自己寻乐。三句写原为采花酿蜜，四句才写出诗的寓意：蜜蜂辛辛苦苦，甜蜜却供别人享受。诗写的是极普通的事物，却有深刻广泛的社会意义。

陆龟蒙 （？—881？）

吴郡（今江苏苏州市）人。举进士不第，乃归隐。他与皮日休友善，常彼此唱酬。他还写过不少小品文，鲁迅在《小品文的危机》中说他“并没有忘记天下，正是一塌胡涂的泥塘里的光彩和锋铓”。

吴宫怀古

香径长洲尽棘丛，奢云艳雨只悲风。
吴王事事须亡国，未必西施胜六宫。

吴宫指吴王夫差的馆娃宫，遗址在苏州西南灵岩山上，但诗并不以它为重点直写。诗的性质是咏史，但诗并不是历史，只能取一二事表示诗人的感受和看法。香径是采香径，长洲是长洲苑的省称，是吴王夫差游乐狩猎的地方。首句写这两处荆棘丛生了。楚襄王与巫山神女梦中相会，一般将“云雨巫山”作为男女私情的隐语。二句的奢云艳雨就是写夫差的奢侈荒淫的生活。现在这云和雨只剩悲风了。这两句就是第三句中“事事”形象化的描写，每一件都可以使夫差先胜越王勾践，后为勾践所灭。第四句不空言并非西施使吴灭亡，而只是说未必是西施艳色胜过六宫内的后妃，使得夫差亡国吧。六宫是后妃们所住的地方。

香径与长洲，奢云与艳雨，尽棘丛与只悲风，一句与二句对照工整，都是形象化地描写豪华荒淫生活；结句给读者思考余地，不发空泛议论，是值得注意的艺术手法。

白莲

素葩多蒙别艳欺，此花端合在瑶池。
无情有恨何人觉，月晓风清欲堕时。

葩，古“花”字另一种写法，素葩，白花，指白莲。别艳，其他的花，如色艳的红莲。瑶池，西王母所住的地方。头两句说白莲色素，为他花所欺，但白莲品高，王母的瑶池才是适合它生长的地方。白莲孤高自开，似是“无情”，但又孤零零无人知觉，在月晓风清时谢去，又似乎“有恨”。三四句写白莲的孤高品格，能出污泥而不染。这是一首咏物诗，但也有诗人的自况。

新沙

渤澥声中涨小堤，官家知后海鸥知。
蓬莱有路教人到，亦应年年税紫芝。

渤澥就是渤海，岸边的浪潮升退，年久了冲出了小沙堤，在它还未被开垦种植时，官家收税人却比海鸥还先知道，认为这是将来可以收税的地方。这写法已经很够新颖。蓬莱是传说中的仙岛，据说生产可使人长生的紫色灵芝，可惜无路可通，要不然，官府也要年年派人来收灵芝税了！这个奇妙想法使讽刺入木三分，比用实例攻击要有力得多。这就是诗歌艺术的高妙处。

韦庄 （836—910）

京兆杜陵（今西安市）人。韦应物四世孙。年近六十始中进士。唐亡，王建称帝，国号蜀，韦庄任宰相。他对唐王朝腐朽衰亡慨叹，悲恨黄巢起义。他既能写诗，又善写词。

台城

江雨霏霏江草齐，六朝如梦鸟空啼。
无情最是台城柳，依旧烟笼十里堤。

台城，古代建康旧址，在南京玄武湖旁。雨霏霏，下着蒙蒙细雨。头两句写六朝已如梦消逝，只有禽鸟空鸣，雨淋衰草了。后两句写只有台城遗址上的杨柳，对人世沧桑无动于衷，依旧在轻烟笼罩，生长在十里堤上。这首诗借景抒情，吊古伤今。

稻田

绿波春浪满前陂，极目连云稏稏肥。
更被鹭鸶千点雪，破烟来入画屏飞。

这首描绘稻田的诗，确像一个美丽的画屏，首句写稻田里的水起伏着绿色的微波，极目一看，仿佛与云相连的稻苗长得十分茁壮。稏稏是稻的别称。白色如雪的大群鹭鸶从稻田上飞过，你们可以闭目想想这是何等美丽的景色。

丙辰年鄜州遇寒食城外醉吟　（五首录一）

满街杨柳绿丝烟，画出清明二月天。
好是隔帘花影动，女郎撩乱送秋千。

丙辰年是唐昭宗乾宁三年（896）。鄜州，今陕西富县。头两句写杨柳绿条在风中荡漾，是清明时节的风景特色。后两句写这时节的风俗，即女郎打秋千游戏，三句是在柳条中看到的打秋千姿势。平常的景物和平常的生活绘出一幅富有诗意的图画。

司空图 （837—908）

河中虞县（今山西虞县）人。咸通十年（869）中进士。家有先世别墅，多过隐逸生活。诗亦写离乱忧国之思。

河湟有感

一自萧关起战尘，河湟隔断异乡春。
汉儿尽作胡儿语，却向城头骂汉人。

河湟，黄河及湟水，指长期为吐蕃侵占的河西、陇右地区，851年被收复。萧关在今甘肃固原县北。诗写河湟地区久被占据所造成的情况，只举一事，可见一斑。

即事 （九首录一）

宿雨川原霁，凭高景物新。
陂痕侵牧马，云影带耕人。

头两句写久雨新晴，在高处看望，景物一新。三四句写所见具体景物：积水满陂，波光反映出牧马；云后还残留下耕夫去影，影影绰绰地可以看到。写得具体逼真，历历如在目前。

聂夷中 （837—884？）

河东（今山西永济县）人。咸通十二年（871）中进士。知农民艰苦和官家敲骨吸髓，对前者同情，对后者痛恨。

田家 （二首录一）

父耕原上田，子劚山下荒。
六月禾未秀，官家已修仓。

首句写父亲在平原上耕田，二句写儿子在山下开荒。劚就是开掘。父子都辛勤劳动。三四句写禾苗还未开花，官家已经在修粮仓，准备征粮入库了。民贫官贪于此可见。

公子家

种花满西园，花发青楼道。
花下一禾生，去之为恶草。

头两句写公子举行宴会的府第，冶游的青楼道上，都种满了花。三四句写花下偶然长出一棵禾苗，公子却把它当作恶草拔除。诗深刻讽刺富家公子只知花天酒地享受，竟不知什么是农作物，当然更不知农民的疾苦了。

起夜半

念远心如烧，不觉中夜起。
桃花带露泛，立在月明里。

这是怀念远人的诗，首句写内心如焚，思念情深。二句写不眠中夜起来。带露桃花，月光似水，良宵美景，含蓄暗示只徒增感慨。

汪遵 （生卒年代不详）

宣城（今安徽宣城县）人。咸通七年（866）中进士。

西河

花貌年年溺水滨，俗传河伯娶生人。
自从明宰投巫后，直到如今鬼不神。

西部黄河南北流向一段，古称西河。今称山陕界之黄河为西河。诗题“西河”指战国时邺地区（今河北临漳附近），时有水灾，诗中所写即指此事。首两句写每年将美貌少女投到水里去，民间迷信传说，河神要娶新人为妻。这样做，可免除水灾。三句的明宰指县令西门豹，他把骗人的女巫投到河里，末句写从那以后，鬼就不显灵了。西门豹破除了迷信，并兴修水利，诗是对他的歌颂。

张乔 （生卒年代不详）

池州（今安徽贵池县）人。咸通十二年（871）中进士。曾隐居九华山。

河湟归卒

少年随将讨河湟，头白时清返故乡。
十万汉军零落尽，独吹边曲向残阳。

河是黄河，湟是湟水。湟水源出青海，入甘肃同黄河汇合。“河湟”指湟水流域及两河汇合的一带地方。这一带久被吐蕃侵占，司空图写了一首诗《河湟有感》，已见前。萧关旧址在今甘肃固原县北。经过约百年陆续战争，这一带被唐朝收复了。所以这位旧卒，少年应征，头白才能返乡。所谓“时清”，是指战争终于结束了。但是十万汉军已经死于战争，他虽幸存返乡，也只落得面向残阳独吹边曲。他的饱经沧桑的戍边生活和目前家破人亡的悲惨处境、凄凉心情，都被含蓄深刻地表现出来了。“时清”自然就意含讽刺了。

黄巢 （？—884）

曹州冤句（今山东菏泽县）人。他善击剑骑射，喜欢任侠，虽举进士不第，亦喜读书，并能诗能文。乾符元年（874）响应王仙芝起义，王被杀后，巢继领农民起义，曾攻克长安并称帝。中和四年（884）事败自刎。

题菊花

飒飒西风满院栽，蕊寒香冷蝶难来。
他年我若为青帝，报与桃花一处开。

飒飒，风声。蕊，花心。首两句写满院栽种的菊花被西风吹着，西风飒飒有声，当然不是微风，所以第二句写花寒香冷，蝴蝶都不飞来。三四句写我若做司春的神（青帝），就指示菊花同桃花同在春季开放。因为黄巢是起义农民的领袖，论者以为此诗头两句比喻唐末人民疾苦，有如寒风中的菊花，蝴蝶不来，仍有傲寒姿态。三四句比喻我若夺得政权，必使菊桃并开，也就是人人平等。

菊花

待到秋来九月八，我花开后百花杀。
冲天香阵透长安，满城尽带黄金甲。

九月九日是有悠久传统的重阳佳节，为押韵这里说“九月八”，实指重阳。第二句“我花”二字极为豪迈，“百花杀”为菊花增色。三四句写菊花开满长安，香冲云霄。“黄金甲”用得尤为奇特，以此比喻起义农民的盔甲，是符合黄巢身份的。回观头两句，可以说是表示对起义胜利的信心了。

郑谷 （生卒年代不详）

袁州宜春（今江西宜春县）人，光启三年（887）进士。他在唐末虽负盛名，存诗却无甚佳作。

闲题

举世何人肯自知，须逢精鉴定妍媸。
若教嫫母临明镜，也道不劳红粉施。

诗讽刺无自知之明的人，首两句说得太明显，三四句形象化了，增加了风趣。“精鉴”，精美的镜子，“妍媸”，美丑，全句意思是要照照精美的镜子，才能分辨美丑。嫫母是黄帝丑而贤的妃子，这里指一般貌丑妇女，若是她照镜子看看自己，会说用不着红粉妆饰，自己就够美的了。

韩氏 （生卒年代不详）

唐宣宗（847—859）时宫人。有卢偓在应举时，于御沟得一红叶，上有绝句，置书箱中。及出宫人，偓得韩氏。睹红叶，吁嗟很久，说当时偶题，不想被郎君得到。

题红叶

流水何太急，深宫尽日闲。
殷勤谢红叶，好去到人间。

头两句以水的流急，衬皇宫深院内宫人生活闲散无聊。后两句写在红叶上殷勤题诗，并请流到人间，恳切地表现了享乐人世生活的希望。

韩偓 （842—923）

京兆万年（今西安市附近）人。龙纪元年（889）中进士。他童年就能写诗，很被姨夫李商隐赏识。

想得

两重门里玉堂前，寒食花枝月午天。
想得那人垂手立，娇羞不肯上秋千。

玉堂，华贵的房屋。月午天，有月的夜半。打秋千是唐代妇女常玩的游戏，诗中常常写到，韩诗中屡见。

寒食夜

恻恻轻寒剪剪风，杏花飘雪小桃红。
夜深斜搭秋千索，楼阁朦胧细雨中。

恻恻，凄凉。剪剪，风力尖刺皮肤。杏花已残，桃花还在盛开，是寒食前后风光。三四句写曾在细雨中打秋千的女子情况，隐含对她的情思，因为夜深，秋千索虽然空悬，但曾为她的双手所握。

偶见

秋千打困解罗裙，指点醍醐索一尊。
见客入来和笑走，手搓梅子映中门。

醍醐，酥酪上凝聚的油，味极甘美。中门，接近内室的门。这首诗把打罢秋千，憨然索食，见客走避的少女形象写得生动传神。

新上头

学梳蝉鬓试新裙，消息佳期在此春。
为爱好多心转惑，遍将宜称问旁人。

上头，古代女子十五岁算成年了，开始用簪束发，俗称“上头”。加簪后就学梳头，两鬓好像蝉翼，同时试穿新裙。这是为佳期即结婚时期做准备。听说结婚即在今春，但是喜爱打扮得更好看，又不知道怎样才好，逢人便问是否合适（宜称）。

野塘

侵晓乘凉偶独来，不因鱼跃见萍开。
卷荷忽被微风触，泻下清香露一杯。

诗写夏季破晓所见早景，鱼、萍、荷、露都是平常事物，随手写来，颇有诗趣。

咏柳

袅雨拖风不自持，遍身无力向人垂。
玉纤折得遥相赠，便似观音手里时。

袅雨拖风，在风雨中柔弱摇曳。头两句写柳在风中无力摆动，显得要人扶持。玉纤，女子的手。观音是佛教的神，性慈悲，手中常持柳枝。三四句写如女子折柳相赠，柳就成为圣洁的了。

已凉

碧阑干外绣帘垂，猩色屏风画折枝。
八尺龙须方锦褥，已凉天气未寒时。

碧阑干，翠绿色的阑干。绣帘，绣花的帘幕。猩色，红色。画折枝，画的是无根的花枝。八尺龙须，贵重的用龙须草织成的席。末句写初秋天刚凉的天气。全诗只写闺房的陈设和装饰，既未写人，也未写情，而主人公的闺怨却表达得十分耐人寻味，是这首诗的艺术特别高明之处。

深院

鹅儿唼喋栀黄嘴，凤子轻盈腻粉腰。
深院下帘人昼寝，红蔷薇架碧芭蕉。

黄嘴（栀子的果实可作黄色染料）的乳鹅在水里食物发出响声（唼喋），大蝴蝶（凤子）轻盈飞舞，摆动浓妆艳抹的腰，两句都写深院中的景物。四句也是如此。三句却写人在深院，生活悠闲，庭院幽静，白天也可以安睡。韩偓的诗好写色彩鲜艳的事物，这首诗可以作为一例，生活情趣倒没有什么特别可取之处，不过工作和学习之余，心情悠闲也很有益处。

痛忆

信知尤物必牵情，一顾难酬觉命轻。
曾把禅机销此病，破除才尽又重生。

尤物，绝色的美女。牵情，引人爱。二句言往往一见倾心，不顾性命。禅机指佛教的出世思想，曾用以消除此病，但“野火烧不尽，春风吹又生”。“食色性也”，爱本是人性之常，未可厚非，但要有知识引导，道德规范约制就是了。

自沙县抵龙溪县值泉州军过后村落皆空因有一绝

水自潺湲日自斜，尽无鸡犬有鸣鸦。
千村万落如寒食，不见人烟空见花。

沙县、龙溪、泉州都在今福建境内。此诗是韩偓在唐亡入闽时途中所写。泉州军指割据闽中藩镇的军队。潺湲，水缓流貌。全诗写兵乱之后，这几县各地人烟断绝，一片荒凉景象。虽只写景，诗人悲愤的情绪也在言外充分表达出来了。“自”字重用，“有”与“无”对衬使用，“不见”和“空见”并列，这样写法大大增加了诗的艺术性和感染力。

杜荀鹤 （846—904）

池州石埭（今安徽石埭县）人。大顺二年（891）始登进士第。诗多写乱离，讽刺暴敛。

再经胡城县

去岁曾经此县城，县民无口不冤声。
今来县宰加朱绂，便是生灵血染成。

胡城县的故址在今阜阳县西北，离我的家乡不到三百里，事隔千年，读起来还令人寒心。诗人说，去年曾从这个县城经过，听到老百姓怨声载道，但不写具体内容；今年再到这个县城，县官却穿上了朱绂，也就是表示有功的红色官服。这也许是为老百姓申冤或做好事的结果吧？诗人引弓待发，最后写出来朱绂原来是生灵的血染成的，是俗语所说的“血染红缨帽”。讽刺的力量就重如千钧了。

崔道融 （生卒年代不详）

荆州（今湖北江陵县）人。早年曾游陕西、湖北、河南、浙江、福建等地。

西施滩

宰嚭亡吴国，西施陷恶名。
浣纱溪水急，似有不平声。

西施是春秋时代越国美女，家居浙江诸暨县南苎罗山，山下浣江中有浣纱石，传说西施常在石上浣纱，西施滩即指她浣纱的地方。宰嚭（音丕）是吴国的太宰即宰相。吴越交战，越王勾践战败被围困，他送财物和美女（中有西施）贿通宰嚭，他劝吴王夫差准许越王求和，越王得以回国。越王卧薪尝胆，大力备战，终于灭了吴国。一向多有人将吴灭归咎于西施。这首诗为西施鸣不平，说明明是宰嚭使吴亡国的，罪名却误落在西施身上了。但诗人不直接发议论，而想象浣江春水奔腾急流，似乎在为她鸣不平，这就形象地抒写了感情，有抒情诗的意味了。这是值得注意的艺术手法。希望你们读诗时细心一些，多品味，收获就更大。

牧竖

牧竖持蓑笠，逢人气傲然。
卧牛吹短笛，耕却傍溪田。

牧竖，就是牧童，放牛娃。诗没有什么难懂的地方。可惜你们没有看到的机会。我生长在乡间，童年常常看见，一般他们喜欢唱民歌。因此我读这首诗特别觉得亲切。

溪上遇雨　（二首录一）

坐看黑云衔猛雨，喷洒前山此独晴。
忽惊云雨在头上，却是山前晚照明。

这是一首纯粹描写夏雨的诗，头两句写云浓雨猛，喷洒前山，把夏雨的声势形容尽致。三四句写忽惊夏雨已经淋在头上，而前山已经晴了，可见夏雨转移迅速。读诗如同身临其境。

秋霁

雨霁晴空荡涤清，远山初出未知名。
夜来江上如钩月，时有惊鱼掷浪声。

这也是一首写景的诗。首句写雨后碧空如洗。次句写雨后远山，衬出碧空辽阔。三句写新月照耀下的江景，进一步写雨霁。四句写江水鱼动，以声衬静，静越幽深。每句一幅画景，合成一幅完整的画图。

王驾 （生卒年代不详）

河中（今山西永济县）人。大顺元年（890）进士。

晴景

雨前初见花间蕊，雨后兼无叶里花。
蛱蝶飞来过墙去，却疑春色在邻家。

雨前花还未开，雨后花已落尽，春雨使春光失色，诗人惜春之意不言自明。蛱蝶飞来，当然也是同样扫兴，似与诗人同感，诗人转入想象境界，因而发生奇想，猜疑蛱蝶或者疑心春色转到邻家去了。实景与悬想混写，增加了无限诗趣。

社日

鹅湖山下稻粱肥，豚栅鸡栖半掩扉。
桑柘影斜春社散，家家扶得醉人归。

古时春秋祭祀土神，春季称春社，秋季称秋社。这时举行赛会，并集体欢宴，为祈求和庆贺丰收。鹅湖山在今江西铅山县境内，稻粱肥的春社当在仲春，丰收在望的时候。次句写到猪棚鸡舍，可见六畜兴旺；各家半掩门户，并不加锁，可见夜不闭户的升平景象。三句写桑柘树影已斜，天色已经傍晚了，是聚会的人分散的时候了。末句既形象又精炼，把春社的欢乐气氛充分表达出来了。

陈玉兰（生卒年代不详）

王驾之妻，吴人。此诗在《全唐诗》中既作王驾诗，题为《古意》，又题《寄夫》作王驾之妻作。

寄夫

夫戍边关妾在吴，西风吹妾妾忧夫。
一行书信千行泪，寒到君边衣到无？

此诗首句写夫在边关，妻在吴地，隐含离别之苦。二句写寒风吹到自己身上，而却担忧丈夫身寒，暗示怀念之深。三句以一行书信同千行泪对比，意寓纸短情长，言不尽意。四句写地远天寒，怕寒衣不能及时到达，是忧和泪的起因具体化，但忧与泪所包含的感情是很复杂的。

钱珝 （生卒年代不详）

吴兴（今浙江湖州市）人。他是钱起的曾孙。乾宁五年（898）中进士。

江行无题 （百首录二）

一

兵火有余烬，贫村才数家。
无人争晓渡，残月下寒沙。

二

万木已清霜，江边村事忙。
故溪黄稻熟，一夜梦中香。

第一首写唐末战争频繁，村落荒疏，人烟几绝的凄凉景象。残月照寒沙，而过渡的人寥寥无几，就使凄凉景象更具体化了。

第二首的村事指农事，故溪即故乡。见景生情，梦中闻到故乡稻香，思乡之情亲切动人。

未展芭蕉

冷烛无烟绿蜡干，芳心犹卷怯春寒。
一缄书札藏何事，会被东风暗拆看。

这是一首咏物诗，但抒情意味浓重，想象美妙奇特。首句写蕉心未展的芭蕉外表，好像古人惯于将书信卷成的筒形。二句的芳心比喻少女的情怀，怯春寒比喻少女的心态。三句写少女表达情怀的奥秘。四句写春暖芭蕉展开，少女的芳心也就被春风偷窥了。

孙光宪（900？—968）

陵州贵平（今四川仁寿县东北）人。他兼写诗词，词胜于诗。

竹枝词（二首录一）

门前春水白苹花，岸上无人小艇斜。
商女经过江欲暮，散抛残食饲神鸦。

《竹枝》原是古代巴渝一带（今重庆地区）流行的民歌，多歌咏民间风俗和男女爱情。孙光宪的诗写江上黄昏时偶见的风光。商女是商人的女眷。饲神鸦是古代一种民间风俗：江河上航行的人崇祀水神，常有乌鸦在船桅周围飞绕，舟子认为是神鸦，向空中抛食给它们接吃。这首诗写的不是重大题材，但写了生活的一枝一叶，这样小小的图景多了，也就组成多彩的人生大画面了。

吴融　（生卒年代不详）

越州山阴（今浙江绍兴）人，龙纪元年（889）中进士。

情

依依脉脉两如何？细似轻丝渺似波。

月不长圆花易落，一生惆怅为伊多。

首句写依依难分、脉脉含情的相爱情况，不知怎样形容。二句是答话：情轻细如丝，渺渺如波，微妙而有魅力。三四句写情如月易缺、如花易落，往往为伊人惆怅。

张泌 （生卒年代不详）

常州（今江苏常州市）人。工词。

寄人

别梦依依到谢家，小廊迴合曲栏斜。
多情只有春庭月，犹为离人照落花。

这首诗是寄赠曾经相爱的人的。古诗常以谢娘称所爱的女子，谢家即她家。迴合，环绕。头两句写梦中所见谢家院落情况，有旧地依然之意。三四句写只有明月还照着落花，而所爱的人却不见踪影了。全诗含蓄而深刻地表达了诗人曲折深厚的感情。有人说，张泌初与邻女浣衣相善，经年不复相见，后梦之，写一绝句，即此诗。

朱绛 （生卒年代不详）

《全唐诗》只录存其诗一首。

春女怨

独坐纱窗刺绣迟，紫荆花下啭黄鹂。
欲知无限伤春意，尽在停针不语时。

这首诗的最好处在末句，抓住了一瞬间的情态，伤春少女的形象便活现在我们的眼前了。

处默 （生卒年代不详）

织妇

蓬鬓蓬门积恨多，夜阑灯下不停梭。
成缣犹自赔钱纳，未值青楼一曲歌。

蓬鬓是头发蓬乱不梳。蓬门是贫穷人家茅屋的门。农妇终夜辛苦织成的细绢（缣），收税的官吏往往还挑剔，索取小费。可是青楼歌女唱一曲歌，还嫌赏给一匹绢太少呢。一件具体小事状尽了官僚们的豪奢和农家的疾苦。

太上隐者　（生卒年代不详）

关于这位隐者，《古今诗话》有这样记载：他来历不为人所知，有好事人当面打听他的姓名，他也不答，只写下了下面一首诗：

答人

偶来松树下，高枕石头眠。
山中无历日，寒尽不知年。

这种出世的思想消极，当然不可取。不过古人在乱世，心怀不满，又无办法，为避祸害，隐居山林，是可以理解的。这种人往往洁身自好，心地纯净，能与大自然契合，也常须自食其力，倒也无可厚非。就诗说，朴素自然，毫无矫揉造作地谈自己的生活和心情，也耐人寻味。

李九龄　（生卒年代不详）

我们也只知其名，不过他比太上隐者写诗多，也常出游，与人间稍多联系，还寄诗给友人。

山中寄友人

乱云堆里结茅庐，已共红尘迹渐疏。
莫问野人生计事，窗前流水枕前书。

诗简单朴素，用不着什么解释。当然，人们生活应当丰富多彩，但绝对不能追求豪奢。懂得生活艺术的人，在平淡生活中也会感到幸福。至于出世的思想不可取，那是不消说的。

良乂（生卒年代不详）

我们也只知他的名字，别无所知。乂，音义。同李九龄一样，他同朋友有诗唱和。

答卢邺

风泉只向梦中闻，身外无余可寄君。
当户一轮惟晓月，挂檐数片是秋云。

梦中听泉听风，看到晓月秋云，当然无法馈赠友人，但对友人的深情厚谊，不是含蓄而充分地表达出来了吗？

杜秋娘 （生卒年代不详）

杜牧的《杜秋娘诗序》说她是唐金陵人，原为节度使李锜妾，善唱《金缕衣》。因此下面的这首诗，《唐人万首绝句》中将作者定为李锜，《全唐诗》中定作者为无名氏。关于古诗作者，有时有这种情形。

金缕衣

劝君莫惜金缕衣，劝君惜取少年时。
花开堪折直须折，莫待无花空折枝。

“金缕衣”原为曲调名，这里也借指华贵的衣服。少年在古诗中多指青年。一二句劝人不要惜爱华贵服装，而要珍惜青春的时光，不要虚度浪费，这是诗的主要意思。三四句的“花”应当指的是人间一切真善美的事物，要将珍惜的时光用在这些上面，丰富自己的生活，不要无视这些事物，虚度一生。若认为这两句诗劝人无原则地及时行乐，那就不妥了。当然，正当地行乐，也是无可非议的。

周渍 （生卒年代不详）

逢邻女

日高邻女笑相逢，慢束罗裙半露胸。
莫向秋池照绿水，参差羞杀白芙蓉。

日高，太阳已出来很高。慢束罗裙，穿得很不细心。一二句写与邻女偶然相逢，相视而笑，显然并不陌生；她衣装也很随便。三四句写邻女貌美，最好莫向绿水看望，不然会使白莲花羞愧死了。这种夸张写法，很有浪漫主义意味，但很纯净自然。

捧剑仆

姓名不详。《全唐诗》小传说，他是咸阳郭氏之仆，喜欢观察自然现象，虽遭鞭打也不改。留传的诗只有三首，下面一首就是他能观察生活中的美，使之成为艺术的美。

诗

青鸟衔葡萄，飞上金井栏。
美人恐惊去，不敢卷帘看。

生活中随处都有美，希望你们学着观察、体会、捕捉、描绘。

无名氏

赠妇

吹火朱唇动，添薪玉腕斜。

遥看烟里面，恰是雾中花。

诗写的是一位操劳家务的妇女，写得多么生动美丽，多么感情真挚！

无名氏

杂诗

两心不语暗知情，灯下裁缝月下行。
行到阶前知未睡，夜深闻放剪刀声。

诗写脉脉含情的一对情人，一在灯下裁缝，一在月下散步，一在室内，一在室外。室外的人夜深还听到放下剪刀的声音，知道室内的人还未入睡。虽然“心有灵犀一点通”，却难通一语。

无名氏

杂诗

近寒食雨草萋萋，着麦苗风柳映堤。
等是有家归不得，杜鹃休向耳边啼。

寒食节将近，下着雨，草生长得很茂盛。风吹着麦苗，堤上满种杨柳。这时节这样天气，容易引起思家的念头。杜鹃，传说是古代蜀帝杜宇死后魂化的鸟，啼声极悲，声似“不如归去”，这时这种鸟在耳边啼叫，自然更增加有家难归的悲感，所以希望它不再啼了。

无名氏

忽然

忽然头上片云飞，不觉舟中雨湿衣。
折得莲花浑忘却，空将荷叶盖头归。

这是一首摄取生活片断而写成的即事诗，很有风趣。划船遇雨本来是一件扫兴的事，诗人魔杖一挥，却出现了一首好诗，不是像看魔术一样引人入胜吗？

一年夏季，我在南京玄武湖划船遇雨，折荷叶盖头的情形至今记忆犹新，回想起来还有余味，可惜我没有魔杖，未能写诗记载。多谈也徒增感慨。

把魔术说穿就索然无味了，所以我选讲绝句也就到此为止吧！

1988年11月1日

结束语

正辉、正虹、正霞：

我给你们选讲的唐人绝句，算是完成了。原先按性质分类，选了几十首，后按年代排列，又选了约三百首。经一些友人看过，认为不如把两者合起来好。于是就合成为现在的《唐人绝句启蒙》。既名“启蒙”，也应当为你们简单讲讲绝句的发展史和格律。

在中国汉魏乐府古诗里，保存了少数歌谣，五言四句，第二行和第四行押韵，有些题为“古辞”。这种“古绝”，可以说是绝句的源头。

到了南北朝时期，产生了大量的民歌，都是五言四句。鲁迅先生很重视这些民间文学，因为它们“刚健、清新。无名氏文学如《子夜歌》之流，会给文学一种新力量”。《子夜歌》之外，还有《子夜四时歌》等。这些民歌可能经过文人加工，艺术上比较成熟，对于唐代五绝有着明显的影响，从写景和抒情方面都可以看出。

这些话，你们听起来可能有些空洞，我现在举两个例子。第一首是《子夜歌》：

恃爱如欲进，含羞未肯前。
口朱发艳歌，玉指弄娇弦。

第二首是《子夜春歌》：

春风动春心，流目瞩山林。
山林多奇采，阳鸟吐清音。

《子夜歌》和《子夜四时歌》属于南朝，称为南歌。还有北朝的北歌，数量较少，技术也较差，内容也不相同。

有些文人摹仿，有些文人受影响创新，此后到唐初有不少五言四行诗出现，其中颇有佳作。这些也对绝句发生影响。

齐梁时沈约创平、上、去、入四声，以后将四声分为平仄，仄包括上、去、入三声。这样就使绝句有固定格式、固定格律的条件了。到唐初，五言绝句已经正式成立，七言绝句则成熟较迟。

下面是五绝的四种格式：

（一）仄起，第一句不用韵：

仄仄平平仄，平平仄仄平。

平平平仄仄，仄仄仄平平。

（二）仄起，第一句即用韵：

仄仄仄平平，平平仄仄平。

平平平仄仄，仄仄仄平平。

（三）平起，第一句不用韵：

平平平仄仄，仄仄仄平平。

仄仄平平仄，平平仄仄平。

（四）平起，第一句即用韵：

平平仄仄平，仄仄仄平平。

仄仄平平仄，平平仄仄平。

（字下加·者，可以变通平仄）

七绝也有四种格式：

（一）仄起，第一句不用韵：

仄仄平平平仄仄，平平仄仄仄平平。

平平仄仄平平仄，仄仄平平仄仄平。

（二）仄起，第一句即用韵：

仄仄平平仄仄平，平平仄仄仄平平。

平平仄仄平平仄，仄仄平平仄仄平。

（三）平起，第一句不用韵：

平平仄仄平平仄，仄仄平平仄仄平。

仄仄平平平仄仄，平平仄仄仄平平。

（四）平起，第一句即用韵：

平平仄仄仄平平，仄仄平平仄仄平。

仄仄平平平仄仄，平平仄仄仄平平。

（字下有·者，可以变通平仄）

这种五言、七言绝句讲究格律，所以常被称为律绝。有时还被称为小律诗。律绝可以说是律诗的一部分；或为上四句，或为中四句，或为下四句，或为首尾各两句。八句律诗的平仄格式，就是两首律绝格式的合成。

对于律诗，我们不必细说了。只略说一下，律绝对声律的要求不如律诗严格，例如我们读过的李绅的《悯农》，“春种一粒粟”就连用了四个仄声字，“谁知盘中餐”就五个字都是平声。这类绝句被称为“古绝”。还有律绝一般用平声韵，但五绝比七绝更多用仄声韵，例如我们讲读过的孟浩然的《春晓》，也就是古绝了。

记得你们偶然见到什么美好的事物，心里有了什么美好的感情，还常写四句五言或七言的诗给我看看，有的写得蛮好嘛！写诗先要注意内容，要注意真实的感情，先可不必太严格管上言格式，连概括这些格式的“一三五不论，二四六分明（五绝为一三不论，二四分明）”，也不必死死遵守。把这些美其名曰古绝也无妨。

关于押韵，我也简单说明一下。每个汉字的声音都有两个部分：发音不相同的开头部分，称为“声母”；发音相同或相近的收音部分，称为“韵母”。韵母的主要部分（称为“韵腹”）只要相同或相近，就可以押韵。声母相同或不相同与押韵没有关系。我来举一首讲读过的李白《静夜思》，你们就可以更容易明白了：

床前明月光，疑是地上霜。

举头望明月，低头思故乡。

这首诗押韵的有三个字：光（guang）、霜（shuang）、乡（xiang）。你们看，这三个字的主要元音都是 a（韵腹），guang 的 a 前是 u（称为韵头），a 后是 ng（称为韵尾）；shuang 的韵头也是 u，韵尾也是 ng；xiang 的韵头是 i，韵尾又是 ng：读起来声音十分和谐悦耳。三个字的声母（g、sh、x）就不相同了。

近代和一些现代写旧诗的人，一般押韵使用后已散失的《平水韵》作蓝本而编的《佩文诗韵》，但古今有些字的读音已不同，旧韵书也十分烦琐，你们如不专门研究中国古典文学，先不必费时间深究。民间文学的十三辙，晚出的近于它的谈诗韵的书，如《诗韵新编》《韵辙常识》，偶一查查也就可以了。以上二书都以普通话的发音为准，划分的韵目只有十几个，简便适用。

正辉曾把鲁迅先生的两句诗写了作为座右铭："横眉冷对千夫指，俯首甘为孺子牛。"希望好诗能培养你们对世间假丑恶的一切"横眉冷对"，对世间真善美的一切"俯首为牛"！

请你们接受我的爱和祝福!

吴廷迈和陈秉立两位同志为本书付出了大量劳动，我们表示衷心感谢!

1990年元旦修改

国家新闻出版广电总局
首届向全国推荐中华优秀传统文化普及图书

大家小书书目

国学救亡讲演录	章太炎 著 蒙 木 编
门外文谈	鲁 迅 著
经典常谈	朱自清 著
语言与文化	罗常培 著
习坎庸言校正	罗 庸 著 杜志勇 校注
鸭池十讲（增订本）	罗 庸 著 杜志勇 编订
古代汉语常识	王 力 著
国学概论新编	谭正璧 编著
文言尺牍入门	谭正璧 著
日用交谊尺牍	谭正璧 著
敦煌学概论	姜亮夫 著
训诂简论	陆宗达 著
金石丛话	施蛰存 著
常识	周有光 著 叶 芳 编
文言津逮	张中行 著
经学常谈	屈守元 著
国学讲演录	程应镠 著
英语学习	李赋宁 著
中国字典史略	刘叶秋 著
语文修养	刘叶秋 著
笔祸史谈丛	黄 裳 著
古典目录学浅说	来新夏 著
闲谈写对联	白化文 著
汉字知识	郭锡良 著
怎样使用标点符号（增订本）	苏培成 著
汉字构型学讲座	王 宁 著

诗境浅说	俞陛云 著
唐五代词境浅说	俞陛云 著
北宋词境浅说	俞陛云 著
南宋词境浅说	俞陛云 著
人间词话新注	王国维 著 滕咸惠 校注
苏辛词说	顾 随 著 陈 均 校
诗论	朱光潜 著
唐五代两宋词史稿	郑振铎 著
唐诗杂论	闻一多 著
诗词格律概要	王 力 著
唐宋词欣赏	夏承焘 著
槐屋古诗说	俞平伯 著
词学十讲	龙榆生 著
词曲概论	龙榆生 著
唐宋词格律	龙榆生 著
楚辞讲录	姜亮夫 著
读词偶记	詹安泰 著
中国古典诗歌讲稿	浦江清 著 浦汉明 彭书麟 整理
唐人绝句启蒙	李霁野 著
唐宋词启蒙	李霁野 著
唐诗研究	胡云翼 著
风诗心赏	萧涤非 著 萧光乾 萧海川 编
人民诗人杜甫	萧涤非 著 萧光乾 萧海川 编
唐宋词概说	吴世昌 著
宋词赏析	沈祖棻 著
唐人七绝诗浅释	沈祖棻 著
道教徒的诗人李白及其痛苦	李长之 著
英美现代诗谈	王佐良 著 董伯韬 编
闲坐说诗经	金性尧 著
陶渊明批评	萧望卿 著

古典诗文述略	吴小如　著
诗的魅力 ——郑敏谈外国诗歌	郑　敏　著
新诗与传统	郑　敏　著
一诗一世界	邵燕祥　著
舒芜说诗	舒　芜　著
名篇词例选说	叶嘉莹　著
汉魏六朝诗简说	王运熙　著　董伯韬　编
唐诗纵横谈	周勋初　著
楚辞讲座	汤炳正　著 汤序波　汤文瑞　整理
好诗不厌百回读	袁行霈　著
山水有清音 ——古代山水田园诗鉴要	葛晓音　著
红楼梦考证	胡　适　著
《水浒传》考证	胡　适　著
《水浒传》与中国社会	萨孟武　著
《西游记》与中国古代政治	萨孟武　著
《红楼梦》与中国旧家庭	萨孟武　著
《金瓶梅》人物	孟　超　著　张光宇　绘
水泊梁山英雄谱	孟　超　著　张光宇　绘
水浒五论	聂绀弩　著
《三国演义》试论	董每戡　著
《红楼梦》的艺术生命	吴组缃　著　刘勇强　编
《红楼梦》探源	吴世昌　著
《西游记》漫话	林　庚　著
史诗《红楼梦》	何其芳　著 王叔晖　图　蒙　木　编
细说红楼	周绍良　著
红楼小讲	周汝昌　著　周伦玲　整理

曹雪芹的故事	周汝昌 著 周伦玲 整理
古典小说漫稿	吴小如 著
三生石上旧精魂——中国古代小说与宗教	白化文 著
《金瓶梅》十二讲	宁宗一 著
中国古典小说名作十五讲	宁宗一 著
古体小说论要	程毅中 著
近体小说论要	程毅中 著
《聊斋志异》面面观	马振方 著
《儒林外史》简说	何满子 著

我的杂学	周作人 著 张丽华 编
写作常谈	叶圣陶 著
中国骈文概论	瞿兑之 著
谈修养	朱光潜 著
给青年的十二封信	朱光潜 著
论雅俗共赏	朱自清 著
文学概论讲义	老 舍 著
中国文学史导论	罗 庸 著 杜志勇 辑校
给少男少女	李霁野 著
古典文学略述	王季思 著 王兆凯 编
古典戏曲略说	王季思 著 王兆凯 编
鲁迅批判	李长之 著
唐代进士行卷与文学	程千帆 著
说八股	启 功 张中行 金克木 著
译余偶拾	杨宪益 著
文学漫识	杨宪益 著
三国谈心录	金性尧 著
夜阑话韩柳	金性尧 著
漫谈西方文学	李赋宁 著
历代笔记概述	刘叶秋 著

周作人概观	舒　芜　著
古代文学入门	王运熙　著　董伯韬　编
有琴一张	资中筠　著
中国文化与世界文化	乐黛云　著
新文学小讲	严家炎　著
回归，还是出发	高尔泰　著
文学的阅读	洪子诚　著
中国文学1949—1989	洪子诚　著
鲁迅作品细读	钱理群　著
中国戏曲	么书仪　著
元曲十题	么书仪　著
唐宋八大家 ——古代散文的典范	葛晓音　选译
辛亥革命亲历记	吴玉章　著
中国历史讲话	熊十力　著
中国史学入门	顾颉刚　著　何启君　整理
秦汉的方士与儒生	顾颉刚　著
三国史话	吕思勉　著
史学要论	李大钊　著
中国近代史	蒋廷黻　著
民族与古代中国史	傅斯年　著
五谷史话	万国鼎　著　徐定懿　编
民族文话	郑振铎　著
史料与史学	翦伯赞　著
秦汉史九讲	翦伯赞　著
唐代社会概略	黄现璠　著
清史简述	郑天挺　著
两汉社会生活概述	谢国桢　著
中国文化与中国的兵	雷海宗　著
元史讲座	韩儒林　著

魏晋南北朝史稿　　贺昌群　著
汉唐精神　　贺昌群　著
海上丝路与文化交流　　常任侠　著
中国史纲　　张荫麟　著
两宋史纲　　张荫麟　著
北宋政治改革家王安石　　邓广铭　著
从紫禁城到故宫
——营建、艺术、史事　　单士元　著
春秋史　　童书业　著
明史简述　　吴　晗　著
朱元璋传　　吴　晗　著
明朝开国史　　吴　晗　著
旧史新谈　　吴　晗　著　习　之　编
史学遗产六讲　　白寿彝　著
先秦思想讲话　　杨向奎　著
司马迁之人格与风格　　李长之　著
历史人物　　郭沫若　著
屈原研究（增订本）　　郭沫若　著
考古寻根记　　苏秉琦　著
舆地勾稽六十年　　谭其骧　著
魏晋南北朝隋唐史　　唐长孺　著
秦汉史略　　何兹全　著
魏晋南北朝史略　　何兹全　著
司马迁　　季镇淮　著
唐王朝的崛起与兴盛　　汪　篯　著
南北朝史话　　程应镠　著
二千年间　　胡　绳　著
论三国人物　　方诗铭　著
辽代史话　　陈　述　著
考古发现与中西文化交流　　宿　白　著
清史三百年　　戴　逸　著

清史寻踪	戴　逸　著
走出中国近代史	章开沅　著
中国古代政治文明讲略	张传玺　著
艺术、神话与祭祀	张光直　著 刘　静　乌鲁木加甫　译
中国古代衣食住行	许嘉璐　著
辽夏金元小史	邱树森　著
中国古代史学十讲	瞿林东　著
历代官制概述	瞿宣颖　著
宾虹论画	黄宾虹　著
中国绘画史	陈师曾　著
和青年朋友谈书法	沈尹默　著
中国画法研究	吕凤子　著
桥梁史话	茅以升　著
中国戏剧史讲座	周贻白　著
中国戏剧简史	董每戡　著
西洋戏剧简史	董每戡　著
俞平伯说昆曲	俞平伯　著　陈　均　编
新建筑与流派	童　寯　著
论园	童　寯　著
拙匠随笔	梁思成　著　林　洙　编
中国建筑艺术	梁思成　著　林　洙　编
沈从文讲文物	沈从文　著　王　风　编
中国画的艺术	徐悲鸿　著　马小起　编
中国绘画史纲	傅抱石　著
龙坡谈艺	台静农　著
中国舞蹈史话	常任侠　著
中国美术史谈	常任侠　著
说书与戏曲	金受申　著
世界美术名作二十讲	傅　雷　著

中国画论体系及其批评	李长之　著
金石书画漫谈	启　功　著　赵仁珪　编
吞山怀谷 ——中国山水园林艺术	汪菊渊　著
故宫探微	朱家溍　著
中国古代音乐与舞蹈	阴法鲁　著　刘玉才　编
梓翁说园	陈从周　著
旧戏新谈	黄　裳　著
民间年画十讲	王树村　著　姜彦文　编
民间美术与民俗	王树村　著　姜彦文　编
长城史话	罗哲文　著
天工人巧 ——中国古园林六讲	罗哲文　著
现代建筑奠基人	罗小未　著
世界桥梁趣谈	唐寰澄　著
如何欣赏一座桥	唐寰澄　著
桥梁的故事	唐寰澄　著
园林的意境	周维权　著
万方安和 ——皇家园林的故事	周维权　著
乡土漫谈	陈志华　著
现代建筑的故事	吴焕加　著
中国古代建筑概说	傅熹年　著
简易哲学纲要	蔡元培　著
大学教育	蔡元培　著 北大元培学院　编
老子、孔子、墨子及其学派	梁启超　著
春秋战国思想史话	嵇文甫　著
晚明思想史论	嵇文甫　著
新人生论	冯友兰　著

中国哲学与未来世界哲学	冯友兰　著
谈美	朱光潜　著
谈美书简	朱光潜　著
中国古代心理学思想	潘　菽　著
新人生观	罗家伦　著
佛教基本知识	周叔迦　著
儒学述要	罗　庸　著　杜志勇　辑校
老子其人其书及其学派	詹剑峰　著
周易简要	李镜池　著　李铭建　编
希腊漫话	罗念生　著
佛教常识答问	赵朴初　著
维也纳学派哲学	洪　谦　著
大一统与儒家思想	杨向奎　著
孔子的故事	李长之　著
西洋哲学史	李长之　著
哲学讲话	艾思奇　著
中国文化六讲	何兹全　著
墨子与墨家	任继愈　著
中华慧命续千年	萧萐父　著
儒学十讲	汤一介　著
汉化佛教与佛寺	白化文　著
传统文化六讲	金开诚　著　金舒年　徐令缘　编
美是自由的象征	高尔泰　著
艺术的觉醒	高尔泰　著
中华文化片论	冯天瑜　著
儒者的智慧	郭齐勇　著
中国政治思想史	吕思勉　著
市政制度	张慰慈　著
政治学大纲	张慰慈　著
民俗与迷信	江绍原　著　陈泳超　整理

政治的学问	钱端升 著	钱元强 编
从古典经济学派到马克思	陈岱孙 著	
乡土中国	费孝通 著	
社会调查自白	费孝通 著	
怎样做好律师	张思之 著	孙国栋 编
中西之交	陈乐民 著	
律师与法治	江 平 著	孙国栋 编
中华法文化史镜鉴	张晋藩 著	
新闻艺术（增订本）	徐铸成 著	
经济学常识	吴敬琏 著	马国川 编
中国化学史稿	张子高 编著	
中国机械工程发明史	刘仙洲 著	
天道与人文	竺可桢 著	施爱东 编
中国医学史略	范行准 著	
优选法与统筹法平话	华罗庚 著	
数学知识竞赛五讲	华罗庚 著	
中国历史上的科学发明（插图本）	钱伟长 著	

出版说明

“大家小书”多是一代大家的经典著作，在还属于手抄的著述年代里，每个字都是经过作者精琢细磨之后所拣选的。为尊重作者写作习惯和遣词风格、尊重语言文字自身发展流变的规律，为读者提供一个可靠的版本，“大家小书”对于已经经典化的作品不进行现代汉语的规范化处理。

提请读者特别注意。

北京出版社